世界史×日本史
講座:わたしたちの歴史総合5

戦争と社会主義を考える

世界大戦の世紀が残したもの

久保亨
歴史総合研究会編

かもがわ出版

講座：わたしたちの歴史総合《世界史×日本史》　刊行にあたって

「講座：わたしたちの歴史総合」は、「歴史総合」からの問いかけに対するひとつの応答である。

二〇〇六年に起きた世界史未履修問題に端を発して、歴史教育の見直しがはじまった。日本学術会議による高校地理歴史科についての「歴史基礎」「地理基礎」科目設置の提言（最初の提言は二〇一一年）、高大連携歴史教育研究会による入試と教科書の歴史用語精選の提案、中央教育審議会での議論など、さまざまな意見が出てきた。

これらの提言・意見をふまえて、二〇一八年三月に「高等学校学習指導要領」が告示された。歴史教育については、「歴史総合」（必修科目二単位）と「日本史探求」「世界史探求」（選択科目各三単位）が設置された。「歴史総合」は二〇二二年度、「日本史探求」「世界史探求」は二〇二三年度から授業を開始することになった。

新しい三科目、とくに「歴史総合」は、これまでの指導要領と抜本的に異なる性格をもっている。大きく分けてふたつある。

ひとつは、現代的な諸課題の直接的な淵源である一八世紀以後、今日にいたるまでの近現代史を必修とし、これまでのように日本史と世界史とに分けず、日本を完全に含む世界史とすることである。

もうひとつは、知識つめこみ型の「覚える歴史」から思考力育成型の「考える歴史」への

講座：わたしたちの歴史総合《世界史×日本史》

転換である。その方法として、史資料をもちいた問いかけと応答による対話のつみかさねのなかから、学習者自身が自ら問い、応答しうるような思考力・判断力・表現力を身につけていくようになることをめざしている点である。

前者については、昨今の動きのもとで多くの教員が取り上げている感染症や戦争の歴史をみても明らかなように、近代をあつかう「歴史総合」だけでは応答できない問いや課題も多い。そこで、人類発生以来の歴史をあつかう「探求」科目が日本史・世界史に分けてもうけられた。ここでは、「歴史総合」の問いかけをふまえて、世界史の中の「日本史探求」、日本史を含む「世界史探求」からの応答が必要である。

後者は、歴史研究者が、史資料を前にして机の上やフィールドでおこなっているような作業である。これにつうじる学習を高校の教室で展開するためにさまざまな努力がつみかさねられている。歴史学の方法を大学の中にとどめず、市民社会の共有物とするための、歴史研究者からの応答と協力が課題になるであろう。

「歴史総合」の提案に対し、新しい提言をふくむ解説書、実践事例、世界史シリーズなど、さまざまなかたちで「世界史」の刊行があいついでいる。「講座：わたしたちの歴史総合」のめざすところは、解説書や参考書の域にとどまらない。高校生や教師を含め、一般読者が現代的な諸課題を歴史的に考えるときの、教養としての世界史である。

わたしたちの講座は、新しい歴史科目に対応して、全六巻で編成する。「歴史総合」に応答するのは、一八世紀・一九世紀の近代を中心とする第三巻・第四巻、二〇世紀の世界を対象とする第五巻である。第一巻・第二巻は、「世界史探求」に対応して、有史以来、一七世紀にいたるまでの世界を対象とする。第六巻は、「日本史探求」に応答して、あえて日本通史を配することにした。

わたしたちの世界はどこにむかっているのだろうか。人類はどのような歴史的経験をへて、いまここにあるさまざまな課題に直面しているのだろうか。人類がたどってきた道筋の全体を考え、理解しうる教養がいまこそ必要ではないか。わたしたちの講座は、歴史教育からの問いかけによせて、それに応答しようとするひとつの試みである。

二〇二二年一二月二三日　歴史総合研究会

執筆者を代表して　渡辺 信一郎

井上 浩一
井野瀬 久美恵
久保 亨
小路田 泰直
桃木 至朗
（50音順）

〈目　次〉戦争と社会主義を考える――世界大戦の世紀が残したもの

まえがき

わたしたちが生きている現代という時代は、世界と日本の動きが深く関わっており、歴史総合の視角から考えることが特に大切となる時代である。ここでは二つの問題を考えたい。

一つは、ロシアのウクライナ侵攻が改めて突きつけた戦争と平和をめぐる問題である。戦争はなぜ起きるか、どうすれば平和を守れるか――歴史の中からそれに答える手がかりを探す時、二回の世界大戦の検討は極めて大きな意味を持つ。数千万の人々が犠牲となった第一次世界大戦（一九一四―一八年）と第二次世界大戦（一九三九―四五年）は、なぜ起きたか。日本は、それにどう関わったか。こうした戦争を、どのような人々が、なぜ、支えたか。それに対し、誰が戦争に反対し平和を求めたか。なぜ戦争をくいとめられなかったか。そして、今、戦争をやめさせ、平和をまもるには、どうすればよいか。日本、あるいは特定の国の動きだけを見ている限り、このような一連の問いに答えるのは難しい。広い視野にたって、歴史総合の視角から考察を深めることが、どうしても必要となる。

もう一つは、平和とも深く関わる社会主義の問題である。そもそも社会主義とは何か。そして二〇世紀初め、ソ連型社会主義は、どのような勢力によって何を目指して生みだされ、どのように広がったか。それと不可分の関係にある東西冷戦と呼ばれた状況を含め、考察を深めなければならない。東西冷戦の終わり方は、ロシアのウクライナ侵攻を招く遠因にもなった。二〇世紀末にソ連型社会主義は崩壊したとはいえ、広い意味での社会主義は今も生き続けている。一九世紀に源流を発し、日本を含む世界に広がり、未来の社会を築く大切な要素の一つでもある社会主義についても、やはり歴史総合の視角から考えることが求められる。

幾つか留意点を書いておきたい。

まず第一に、本書は、「歴史総合」の教科書ではなく、わたしたちの歴史総合を考えるための本だということである。「歴史総合」科目で強調される総合的な見地に立ち、近現代の歴史に沿って、近年の研究成果と多くの史料を踏まえ、筆者なりに戦争と平和の問題、そして社会主義の問題について考え、それをまとめるように努めた。端的にいえば、学習指導要領という文部科学省が定めた枠の中で様々に考える可能性を示すのが教科書であるのに対し、筆者なりの見通しを示しているのが本書である。

第二に、筆者が考えをまとめる際に重視したことの一つは、アジアや中国、日本の動きを世界全体の動きの中で捉え、位置づけることである。従来の歴史教科書の近現代史部分についてみると、「世界史」科目はヨーロッパ中心に傾き、「日本史」科目は日本中心に傾くという問題があった。「歴史総合」科目は、そうした偏りの克服をめざすものとはいえ、「言うは易く…」ということもある。本書は、学習指導要領の文章をある程度は参照しつつも、それに拘束されず、広い視野に立って中国近現代史を研究してきた筆者自身の歴史認識に基づく叙述となっている。

第三に、とくに配慮したことは、平和運動、戦後補償問題、社会主義運動など、実際に戦争と平和の問題、社会主義や東西冷戦の問題を考える際に避けて通れぬ歴史的検討課題について、相当の字数を割いて叙述することであった。「歴史総合」科目では、他の社会科科目との重複を避ける意味もあり、一九世紀以来の様々な平和運動や戦後補償問題、社会主義の歩みなどに触れることが少ない。とくにわたしたちが生きている二〇世紀後半以降の部分になると、そうした叙述が少なすぎる。しかし、わたしたちの歴史総合にとっては、そうした要素を十分に踏まえた歴史認識が求められる。

【史料について】

歴史を学ぶとは、史料に基づき考えることである（「刊行にあたって」参照）。本巻では（世史⑩51）といった注記を随処に付した。これは、歴史学研究会編『世界史史料』（岩波書店、二〇〇六年）の第一〇巻史料番号五一を意味し、この例の場合、本書三七頁に叙述された五・四運動に関し、『世界史史料』にある北京学生界の宣言を参照することができる。

【参照文献について】

本書の叙述の拠りどころとなった主な文献を、適宜（　）内に著者名と刊行年で示した。文献の出版データは巻末に掲げてある。世界大戦と社会主義に関する研究は膨大な量にのぼる。その中から、基本的な研究と最新の研究成果を中心に掲げた。

第一章

最初の世界戦争はなぜ起き、何を残したか

はじめに

今、われわれは、当然のように「第一次世界大戦」という。しかし、それが起きた頃、そうした言葉は存在せず、ただ欧州大戦、世界大戦と呼ばれていた。「第二次」が起きるとは思いもよらず、空前の規模の大戦争がヨーロッパを中心に世界へ広がり、四年間も続いて一一〇〇万人もの膨大な犠牲者を出し、ようやく終わったという感慨を、大戦終結直後は多くの人々が抱いていた。

なぜ二〇世紀初めに世界規模の大戦争が起きたのか。それを理解することは、二一世紀のわれわれにとっても、決して無縁の問題ではない。この第一次世界大戦は、オスマン帝国、清朝帝国、ロシア帝国、オーストリア＝ハンガリー帝国（この国名については後述）など以前から存在した諸帝国が、あるいは解体され、あるいは自らを再編し様々な近代国家が樹立されていく過程で、世界各地の歴史が密接に関わりあいながら起きたできごとであった。スペイン風邪と呼ばれた悪性インフルエンザが世界中で流行したのも、国境を越えた人々の移動がかつてない規模に拡大した、この時のことである（コラム「世界大戦が広めたスペイン風邪」二五頁参照）。

主戦場こそヨーロッパだったとはいえ、第一次世界大戦はアジアにとっても極めて大きな意味を持った。その一つは、日本が中国の青島にあったドイツ軍基地を攻略し、八年間、山東半島を占領したことである。これは日中間の大問題となり、中国で五・四運動という民族運動が勃発する原因になった。なぜ、そのような事態が起きたのか、世界を見渡す視野の中で理解することが求められる。世界大戦はアジア各地の民族意識の覚醒を促し、トルコからインド、東南アジア、朝鮮にいたる広い地域で民族運動が高揚した。

そして戦争の終結過程にも、われわれは注意を払わなければならない。なぜなら、再び世界大戦が起きてしまう一つの理由は、第一世界大戦の終わり方にあったと考えられるからである。

一、サラエヴォの銃声——世界大戦はなぜ起きたか?

オーストリアの皇太子が暗殺された理由

オーストリア＝ハンガリー帝国の皇太子夫妻が、一九一四年六月二八日、南スラブのサラエヴォで若いセルビア民族主義者によって暗殺され、それをきっかけに、七月二八日、第一次世界大戦が勃発した（歴史学研究会編『世界史史料』第一〇巻、史料一〇、以下「世史⑩10」のように略記）。確かにそうなのだが、この説明だけではわからないことが多い。ウィーンの王宮にいた夫妻が、なぜ、南スラブ西部に位置するボスニア・ヘルツェゴビナ（以下、ボスニアと略記）の州都サラエヴォを訪れ、セルビアの一青年は、なぜそこで銃弾を放ったのだろうか。そして、この暗殺事件がなぜ世界大戦を引き起こしたか、ということである。暗殺事件の背後には、ビザンツ帝国（東ローマ帝国）が残した文化的、宗教的な遺産、その後、オスマン帝国（オスマントルコ）統治下で広がったイスラムの影響、そのオスマン帝国が一九世紀に推し進めた近代化政策（タンズィマート改革）、北方の大国ロシアの存在などが、幾重にも重なりあっている。

まずセルビア民族主義者を生んだセルビアについて。住民の多くはビザンツ帝国の時代から東方正教系のキリスト教信者だった。そこにゆるやかな王国的まとまりが形成され始めたのは一二世紀頃であり、一五世紀半ばから一九世紀初めまではオスマン帝国の統治下にあった。その帝国からの独立を求め、一九世紀半ば

オーストリア＝ハンガリー帝国と南スラブ地域
（第一次世界大戦前夜）

から武力闘争を展開した自治公国セルビアは、列強による調停を経て、ロシア・トルコ間の戦争（露土戦争）終結後に開かれた一八七八年のベルリン会議で、正式に独立国となることを承認された。しかし、独立後も内政は安定せず、やがて軍人を中心に強大なセルビアをめざす民族主義的秘密結社「統一か死か」（通称「黒い手」）が生まれ、影響を広げていく。皇太子夫妻を暗殺した青年も、その影響を受けた「ムラダ・ボスナ（青年ボスニア）」に加わっていた。

　ボスニアは、そのセルビアに隣接し、同じベルリン会議でオーストリア＝ハンガリー帝国の単独統治下に置かれることになった地域である（それまではオスマン帝国との共同統治）。そして一九〇八年一〇月、ボスニアは帝国に完全に併合された（世史⑩８）。オーストリア＝ハンガリー帝国は、同年七月にオスマン帝国で起きた「青年トルコ」革命の影響で従来のボスニア統治が不安定になることを警戒し、突如、完全併合という挙に出たのである。セルビア民族主義者にとって、ボスニアは失われた領土となった。

　一九一四年六月、オーストリア皇太子がボスニアの州都サラエヴォを訪れた目的は、同地に駐留する軍の演習を観閲し帝国の国威を示すことであった。したがって、きわめて単純化していうならば、オーストリア

＝ハンガリー帝国のボスニア併合に強く反発するボスニア在住のセルビア民族主義者が、その意志を示すため実行したのがオーストリア皇太子暗殺事件だったということになる。

しかし、ボスニアの住民が全てセルビア民族主義者だったわけではない。ボスニアではイスラム教、正教会、カトリック教会、ユダヤ教が何世紀にもわたって共存してきた。また山岳地域のボスニアは、長い間、全土を統一する勢力が成長しにくい状況が続いていた。カトリック教会やユダヤ教は、隣接するクロアチア（当時はオーストリア＝ハンガリー帝国内の一地域）などからボスニアに入ってきたものであった。言語についていえば、文法に共通性が多いとはいえ、セルビアはスラブ系のキリル文字を使い、クロアチアはラテン文字（ローマ字）を使うという相異があった。ボスニアではセルビア語とクロアチア語の双方が使われている。このようにセルビア、ボスニア、クロアチアをはじめとする様々な地域から形成される南スラブ（日本の約三分の二にあたる二六万平方キロ）には、宗教、言語、文化、自己認識などが異なる様々な人々が相互に入り交じって暮らしていた（柴二〇二一）。その由来を探ると、一五世紀から二〇世紀初めまでこの地を統治したオスマン帝国という存在につきあたる。

全盛期のオスマン帝国は、トルコ人が支配した国家ではなく、様々な民族出身の政治エリートによる集権的なイスラム国家であった（新井二〇〇一）。そして支配者であるスルタンは、イスラム教徒以外の人々も含む全ての人々を保護する責任を負い、常備軍を支えた騎士にはキリスト教徒が含まれ、司法と行政の一部にもキリスト教徒が参加していた。[2] そのような条件の下、キリスト教の影響が強かった南スラブでも、それを許容するイスラム国家たるオスマン帝国の統治が続いた。

一八世紀を通じ西欧諸国が国力を強化してきたことに脅威を感じたオスマン帝国は、一九世紀初めから西欧諸国に倣った政治改革に乗りだし、憲法の制定、法制の整備、行政機構の改革、選挙に基づく地方議会開設などを進めていく（タンズィマート改革）。オスマン帝国の統治がこうして国民国家に変容していく過程は、ヨーロッパ各地における民族主義の勃興と国民国家形成という時代の潮流に重なり、帝国内の各地域においても、様々な民族主義の勃興を促すものになった。その中で、セルビアとギリシャはオスマン帝国の統治を脱し独立した。二〇世紀に入ってからも、一九一二年から一三年にかけ、南スラブ諸国は、ロシアなどの支援の下でオスマン帝国軍と戦い、アルバニアの独立やセルビアの領土拡張を実現している。敗退したオスマン帝国はロシアなどとの対決姿勢を強め、第一次世界大戦に際してもドイツ側に立った。

一方、オーストリアは、二一世紀の今でこそ面積八万平方キロ、人口九〇〇万人（二〇二〇年）の小国になっているとはいえ、一六世紀から二〇世紀初めまではドイツ系のハプスブルグ王家の下、オーストリア＝ハンガリーと呼ばれる大帝国を築きあげていた（南塚編二〇一二）。一八世紀末頃まで、たんに「オーストリア」と呼ばれていたハプスブルグ家支配下のドイツ系王国・領邦の連合国家は、一八〇四年から「オーストリア帝国」と名のるようになり、一八六七年から一九一八年までは「オーストリア＝ハンガリー君主国」が正式の名称となった（本書ではオーストリア＝ハンガリー帝国と表記）。その統治もオスマン帝国の統治と似たところがあり、ハンガリーのマジャール人、スラブ系のチェコ人、スロヴァキア人、ポーランド人、ウクライナ人、ルーマニア人などを含む諸王国・諸領邦に住む農民は、それぞれの母語を用いて暮らし、自治的な生活空間を保持していた。一八世紀から一九世紀にかけ、そうした状況に変化が表れる。クロアチア語、スロベニア語など各地で言語の統一が進み、文化的な民族意識の覚醒に促され、政治的な民族運動が発展するようになった。

南スラブ連邦の夢

ユーゴスラヴィアの挫折と模索

国民国家の形成をめぐる複雑に錯綜した矛盾を調整する一つの試みは、ユーゴスラヴィア（スラブ系の言語で「南スラブ国」を意味する）という連邦国家の建設であった。一度目は一九一八年から四一年にかけて、そして二度目は一九四五年から九一年にかけ、試みられている。しかし、異なる民族という意識を強め、独自の国民国家を求める人々の間には、激しい対立感情が生まれやすい。その矛盾を調整するという課題は二度の世界大戦を経てもなお解決されず、九一年には、それまで連邦を構成していた各共和国が独立を宣言するようになった。その一つクロアチアでは政府軍とセルビア人勢力の武力衝突が始まり、翌九二年にはボスニアでムスリム人、セルビア人、クロアチア人の間で武力衝突が始まった。凄惨な虐殺事件、ＮＡＴＯ軍の空爆、国際社会の介入下での仲裁などをともないながら、ユーゴ内戦という悲劇とその記憶は二一世紀にも引き継がれる。ユーゴスラヴィアという国家は、現在、存在しない。そこにはさまざまな無理があった。とはいえ、宗教、言語、文化、自己認識などが異なり相互に入り交じって暮らしていた人々がそれぞれに国民国家を形成しようとするのも、必ずしも最終的に問題を解決する道ではないかもしれない（柴二〇二一）。それは、ウクライナ危機も示すように二一世紀にまで解決が持ち越された難問である。

こうしてオスマン帝国とオーストリア＝ハンガリー帝国という二つの大きな帝国の下、南スラブの各地で独自の国民国家をめざす動きが活発化する一方、二つの帝国の内部でも自らを近代的な国民国家として再編強化する動きが強まり、様々な政治勢力の間で対立が尖鋭化していった（南塚二〇一八）。今も続く国民国家形成をめぐる複雑な対立状況のなかで、サラエヴォ事件は起きた（コラム「南スラブ連邦の夢」二一頁）。

世界大戦を招いた軍事同盟の連鎖

次に、一つの暗殺事件がなぜ世界大戦をもたらしたかという第二の疑問の検討に移ろう。世界大戦に至る過程をみれば、各国が結んでいた様々な軍事同盟が、結果的に戦争拡大に向け機能したことが明らかになる。皇太子を殺されたオーストリア＝ハンガリーは、暗殺を企てたのはセルビアだとして、事件勃発から一ヵ月を経た一九一四年七月二八日、同国に宣戦を布告した。そこで、小国セルビアを助ける決意を固めたロシアは、三〇日に総動員令を下した（世史⑩11）。一方、ロシアの動きに脅威を覚えたドイツは、オーストリア＝ハンガリーを支援すべく八月一日、ロシアに対して、また同月三日には、ロシアと同盟関係にあったフランスに対しても宣戦を布告し、大軍を動かし始める（世史⑩12）。これに対し、イギリスが八月四日、ドイツ軍はベルギーの中立を踏みにじり、国際法に反する行動をとったとして、ドイツに宣戦布告した。こうして、ヨーロッパ各国が次々に戦争状態に入った後、次節で述べるように八月末にはアジアの日本もドイツに対し宣戦布告し、一一月にはトルコがドイツ側に立って参戦した。さらに一九一七年にはいると、アメリカの参戦を契機として、新大陸の諸国やアジアの中国、シャム（タイ）、アフリカのリベリアなどまでが戦列に加わった。こうして、文字どおり世界規模の大戦争になったのである。

第一次世界大戦の前夜、ヨーロッパには網の目のように諸国間の軍事同盟が張りめぐらされ、その均衡によって平和が保たれるかのような幻想が漂っていた。ドイツのライプツィッヒ近郊には、一九一三年、まさに第一次世界大戦の前の年に、ヨーロッパ各国の首脳が集い、平和を誓った巨大な記念碑が建造され、今もそれは残っている。諸国民戦争と呼ばれるナポレオン時代の戦争終結の百周年を記念し、犠牲者を追悼する国際的な集まりが開催され、平和が祈られた。軍事同盟の均衡を維持すれば、大規模な戦争は回避できるとの暗黙の了解が成り立っていたからである。小規模だったとはいえ、平和運動も各国で広がっていた。

しかし、そうした軍事同盟間の均衡は、それが崩れた時、大きな惨事を引き起こす。実際、対立する異なる軍事同盟に属する二つの国――第一次世界大戦の場合、オーストリア＝ハンガリーとセルビアの両国であった――の間でひとたび戦火が交わされると、それぞれの軍事同盟に属する国々が、あたかも連鎖反応を起こすように次々に宣戦布告を重ねる事態を招き、ついに大規模な世界戦争までに至った。第一次世界大戦が終結した後、その再発を防ぐには、個別的な軍事同盟の均衡ではなく、世界中の国々が参加する国際組織によって戦争を回避する必要があると考えられ、国際連盟 League of Nations が創設された。現実には国際連盟は十分な力を持たず、結局、再度の世界戦争としての第二次世界大戦の勃発を阻むことはできなかった（第二章参照）。しかし、個々の軍事同盟ではなく国際組織による平和の維持を重視する思想は、第二次世界大戦終結時に創設された国際連合 United Nations に引き継がれ、現在も生き続けている。

各国で広がった戦争フィーバー

しかし、まだ疑問は残る。そもそも軍事同盟を結ぶ目的は戦争を回避することにあるとされ、実際、各国で平和を望む声は大きかった。なぜ、それはかき消されていったのか。経済的な相互依存が増しており、ヨーロッパ全体を巻き込むような戦争は困難とする見方もあったが、実際には、まさにそれが起きた。そこで各国の開戦時の状況に改めて目を向ける必要が出てくる。

独自の平和思想を抱きライプツィヒの平和記念碑建造も主導したロシア皇帝ニコライ二世は、開戦前夜、民衆の間に広がっていたオーストリア＝ハンガリーに対する「憤慨の情はすさまじいもの」と記し、皇帝である自分もそれに抗するのは難しいと感じていた。平和運動が盛んであったイギリスでも、議会前広場や、バッキンガム宮殿前、トラファルガー広場などに集まった民衆は、ドイツを激しく非難し、開戦を歓迎する大歓声をあげていた。こうして各国で燃えさかった愛国主義的な「戦争フィーバー（war fever）」は、社会階層によっても地域によっても異なるものであった。にもかかわらず、イギリスで平和運動に携わり比較的冷静なはずの大学人から反戦署名を集めていた哲学者バートランド・ラッセルすら、「宣戦布告と同時に、その署名者全員が豹変した」ことに驚愕《きょうがく》している。民族主義的な感情、「自衛のための戦争」という観念、「小国を守るのは大国としての名誉」という主張、など、さまざまな意識が開戦を合理化し支持する奔流となり、平和を守る声はかき消されていった（小野塚編二〇一四）。当時の平和運動が抱えていた弱点は社会主義者の間にもみられた（本章四）。

総力戦が生んだ膨大な犠牲

最後に残されたのは、この世界大戦が、なぜ一一〇〇万人もの膨大な犠牲者を出す結果を招いたか、という疑問である。その理由を一言でいえば、大戦が、近代の国民国家の総力を結集した闘いになり、多くの人々

世界大戦が広めたスペイン風邪

一九一八年から二〇年にかけ世界的に流行した悪性インフルエンザで、当時の世界人口のおよそ三割にあたる五億人が感染し、死者は二〇〇〇万人ないし四五〇〇万に達したと推計されている（速水二〇〇六）。アメリカ南部で発生が報告された後、それはまたたくうちに米軍兵士の間に広がり、その米軍部隊がヨーロッパに派兵されると西欧各国で感染が拡大し、一挙に世界中に蔓延した。感染拡大の初期、中立国で戦時の情報統制がなかったスペインから多くのニュースが発せられたため、あたかも同国が発生地であるかのような印象が広がり、「スペイン風邪」と呼ばれるようになった。しかし、スペインは発生地ではなく、現在の研究によっても最初の発生地は特定されていない。

いずれにせよスペイン風邪は、そのインフルエンザ・ウイルス自体の感染力もさることながら、基本的には、第一次世界大戦にともないグローバルに人々が接触する機会が激増した結果。爆発的な感染拡大に至ったものである。日本でも軍隊や工場での集団感染に始まり、やがて市中感染が各地に広がった。日本本国だけで四五万人、植民地になっていた台湾や朝鮮などもあわせると七四万人が犠牲となったといわれる。ドイツの社会学者マックス・ウエーバーも、オーストリアの画家グスタファ・クリムトも、日本の劇作家島村抱月も、スペイン風邪で死んだ。

インフルエンザ・ウイルスは、もともと渡り鳥の間に繁殖していたもので、宿主の渡り鳥を発病させることはない。しかし、中には遺伝子の変化で豚や人間に感染するものも出てきた。そして近代の都市で人が密集して生活するようになった時、感染力と毒性の強いウイルスが生まれるとスペイン風邪のような事態が起きる。

を長期にわたって動員する殺し合いになったためであり、その殺害手段として近代科学の成果と工業力が総動員されたためであった。

大戦が始まった当初、各国の指導者を含め、誰もが四年間も続くことは予想していなかった。ドイツは六週間で勝利を収める戦争計画を立てていたし、フランスの参謀本部も長期にわたる持久戦は想定していなかった。このように、対決した両陣営は、ともに短期の終結を期待していたにもかかわらず、ともに短期間で勝利を収めることはできなかった。その結果、両陣営は近代国家の総力を挙げた闘いを展開することになり、経済力と人力を消耗する長期戦が続くことになった。

その過程で、近代科学と工業力も動員された。潜水艦、飛行機、戦車、そして毒ガスを主体とする化学兵器までが戦争に用いられた。一九一五年四月二二日、ドイツ軍はイーペルの前線に沿って配置された五七三〇本のボンベから塩素ガスを放出し、フランス軍に大きな打撃を与えた。毒ガスによる死者は三五〇人にのぼったといわれ、この戦闘以降、毒ガス兵器の大規模な使用が始まった（スピアーズ二〇一二）。フランスも催涙ガスは開発していたし、イギリスも刺激剤の実験を行っていた。両陣営は防禦マスクを兵士に装備させながら、毒ガス兵器を多用するようになり、犠牲者の数を増やしていった。毒ガスが猛威をふるうのは風の吹かない窪地などに限られていたとはいえ、防備が不足したロシア軍は毒ガスで約五万六〇〇〇人が戦死するなど甚大な被害を受けた。一九九五年に東京で起きた地下鉄サリン事件で使われた毒ガスは、元来、ドイツで開発されたものであった。

ドイツ軍のガス攻撃（1915年4月、空撮）

二、日本の青島《チンタオ》占領と中国

日本はなぜ青島を攻めたか

ドイツが築いた青島市街の一角

日本にとって、ヨーロッパの戦場は遠かった。しかし、日本政府は、中国の山東省膠州湾《こうしゅうわん》青島にあった守備兵力四三〇〇人のドイツ軍基地を五万人を越える大軍で攻略するとともに、八年間、一帯の占領を続けた。なぜか。表向きの説明は、日英同盟、日露協約などの国際条約に記された責務を果たし、協商国側を助ける参戦とされる。確かに開戦当初、ドイツの武装商船撃破のため、イギリスが日本に参戦を求める動きがあった。しかし、日本が派兵計画を知らせると、イギリスは日本の本当の狙いを見抜き、参戦依頼を撤回した。戦争に巻き込まれるのを避けようとした中国も、局外中立を宣言し日本の戦闘行為に反対した。

では、なぜ日本は青島を攻めたのか。そもそも、なぜ青島にドイツが基地を設け、軍隊を置いていたのだろうか。ドイツでは、一八八〇年代初頭、地理学者リヒトホーフェンが、山東には石炭など豊富な鉱物資源があり、輸出港に膠州湾が適していると論じた頃から、この地に着目する議論が広がった。そして一九世紀末、列強が中国での利権拡大を競った時、新興のドイツもそれに加わり、山東におけるドイツ人宣教師襲撃事件を口実に清朝政府に圧力を加え、一八九八年から山東半島の膠州湾《こうしゅうわん》沿岸地域を租借し、そこを拠点に山東のさらなる開発をめざすことになった（浅田二〇〇六）。自然環境に恵まれた山東は、小麦、大豆、棉花、落花生、塩など多くの農産物・海産物と石炭、鉄鉱石など豊富な鉱産資源を擁し、西部の内陸地域を南北に貫通する運河ルートと東部の沿海諸港を結ぶ沿海ルートとを交易軸にした市場経済の発展に支えられ、ドイツが開発に乗り出す以前から相当に高い水準の経済力をもっていた地域である。

ドイツは、石畳の道路と堅牢な総督府、銀行などのビル群を築くとともに、小高い丘を要塞化して防備を固めた。内陸の省都済南までの約四〇〇キロメートルを結ぶ山東鉄道（現・膠済線）も敷設し、石炭、鉄鉱石など沿線の資源開発にも着手している。ドイツ資本は蚕糸業、鶏卵加工業、落花生搾油工業などの工場を次々に設立し、輸出競争力を持つ製造業の発展を図った。そのほか造船所、鉄道車両工場、ドイツ人が飲むビール製造工場、食肉処理工場なども設立された。青島は東アジアにおけるドイツの進出拠点として重要な役割を果たすことが期待され、ドイツのショーウィンドーとも称された（コラム「バウムクーヘンと五・四運動」二九頁参照）。

一方、日露戦争の結果、ロシアが開発を進めていた満洲をすでに獲得し、いわば味を占めていた日本は、今度はドイツが開発を進めていた山東を横取りし、中国における権益を拡大しようとした。イギリスが見ぬいた日本の本当の狙いは、そこにあった。大戦勃発後、日本は、冒頭に述べたように大軍を青島へ送ってドイツ軍を撃破し、一九一四年一一月以降、青島、並びに山東鉄道沿線一帯を占領下に置いた。その既成事実を中国に認めさせたのが、一五年五月、中国に受諾させた二十一カ条要求（後述）の中の山東関係条項である。

バウムクーヘンと五・四運動

バウムクーヘンはドイツ語で「木のお菓子」。断面が年輪に見える。日本では一九二〇年代に広がった。そして、それは中国の五・四運動とも無縁ではない同じ時代の出来事であった。

バウムクーヘンの製法を日本に伝えたのは、第一次世界大戦の時、中国の青島にあった要塞を守備していたドイツ人であり、そこを攻撃した日本軍に捕えられ、日本で捕虜生活を送った。戦後、日本で暮らし続ける道を選んだ彼は、初め横浜で、関東大震災の後は神戸で、菓子職人の技を伝えた。ドイツは、要塞防衛の常備兵を一〇〇〇人程度にとどめ、非常時に招集する予備役として三〇〇〇人を超える民間人を青島市内に住まわせていた。その中にはビール工場（青島ビールはこの時に生まれた）、ソーセージ工場で働く労働者もいれば、パンやケーキを焼く職人もいた。その一人が……という次第である。「喜びの歌」で知られるベートーベンの第九交響曲が日本で初めて全曲演奏されたのも、一九一八年六月、鳴門にあったドイツ兵捕虜収容所でのことであった。

新興の帝国主義ドイツが清朝へ圧力をかけ東アジアへの進出拠点として青島一帯を租借地にしたのは、一八九八年のことであった。世界大戦が勃発した一九一四年、日本は日英同盟を根拠にドイツに宣戦し、青島のドイツ軍要塞を攻め落とした。その狙いは青島を拠点に山東全体で権益を拡大することにあったから、日本軍の山東占領は長期化した。中国にとっては、要塞も、戦争も、長期占領も、全く歓迎すべからざるものでしかない。日本軍の長期占領に対する人々の憤りは、一九一九年に五・四運動となって爆発した（本文参照）。

こうして始まった日本の山東統治は、ワシントン会議の結果、二二年二月、中国へ山東の主権返還を約束することを余儀なくされるまで八年間続き、その後も、日本はこの地域で大きな影響力を保持した。

日本の山東統治の顕著な特徴の一つは、工業用地を造成し鉄道の輸送力を増強するなど、工業化を推進する政策を展開したことである(久保二〇〇六)。日本の軍政当局は市街地北方に広がる四方・滄口《そうこう》一帯を「産業区域」として整備し、紡績工場などの日本企業に格安の価格で提供した。また一九一四〜二一年に山東鉄道の蒸気機関車は四六両から九四両へ、貨車は一一五二両から一五一五両へ増強された。工業化の内容にも、ドイツ統治時代とは異なる変化があった。それは中国の国内市場向け商品を製造する軽工業が発展したことである。一九一八〜二三年に七つの紡績工場が青島市近郊に新設され、年に三万トン以上の綿糸が生産されるようになり、輸入はほとんど跡を絶った。その青島製綿糸の大半は、山東省内の足踏み式改良織機による綿布生産地帯に出荷され、省内の市場に向け販売された。綿業以外にも、製粉業、製塩業、マッチ製造業など国内市場向けの軽工業製品をつくる工場が多数設立され、輸入代替工業化が急速に進展した。

工業化を主導したのは日本資本だったとはいえ、紡績工場の一つは中国資本の工場であったし、綿織物業やマッチ製造業では中国資本が優位を占めた。当初は日本から輸入された足踏み式改良織機やマッチ製造機も、やがて国産の模造品がそれに取って代わった。ドイツが着手し、日本が展開した青島を拠点とする工業化は、しだいに中国の経済的主体の成長を促すものにもなっていった。こうした過程は山東だけで起きていたわけではない。中国の主権回復を求める基礎的な条件が全国に広がりつつあった。

中国袁世凱政権の対日姿勢

中国は日本にどう対応したのだろうか。一九一五年一月、中国の袁世凱《えんせいがい》政権に日本から提出された二十一カ条の要求は、ドイツの山東権益の継承、日露戦争後に日本が満洲で得ていた権益の拡充などに加え、中国政府への日本人顧問の任用、日中の兵器統一など国家主権を損ねる要求（希望条項）まで含んでいた（世史⑩19）。袁政権は欧米が日本を抑えることを期待し、その内容をアメリカに漏らすなどして抵抗した。だが欧米は積極的に動かず、五月九日、袁は、武力行使も辞さずという日本の圧力に屈し、希望条項以外の諸要求を受け入れた。これに対し各地で抗議運動が起こり、五月九日は「国恥記念日」とされた。

なぜ袁世凱政権は、日本の圧力に屈したのか。袁政権は三年前に成立したばかりであった。清朝を倒す辛亥革命が一九一一年一〇月に起き、翌一二年一月、暫定革命政府に相当する中華民国臨時政府が臨時大総統孫文に率いられて南京に成立し、同年三月、初代大総統袁世凱の下、北京に中華民国政府が正式に発足したという経緯である。新政権の内情は複雑であって孫文を中心とする革命派は、清朝末期に体制内改革をめざしていた立憲派に比べ劣勢であった。軍事的には清朝内の改革派軍人であった袁世凱らが隠然たる力を有しており、彼らと立憲派の主導の下、革命派がそれに協力する

日本が占領した青島と山東省

形で中華民国はスタートしていた。欧米や日本は、清朝末期の混乱に終止符が打たれ、新たな政治経済体制の下、広大な中国市場が外国にも開かれていくことを期待し、袁政権の要請を受けて多額の借款に応じ、財政的な支援を与えた。

とはいえ、袁世凱政権が盤石《ばんじゃく》の体制を固めたわけではない。一九一二年一二月から翌一三年二月にかけて実施された第一回国会議員選挙（有権者四〇〇〇万人の男子制限選挙）で多数の支持を得られなかったことは、政権運営を多難なものにした。また政権の中央集権化政策に対する地方の反発を背景として、旧革命派の一部は地方の勢力と結び中央政府に対決する姿勢をとっていた。こうして袁政権の求心力が低下しつつあった中で突発したのが、第一次世界大戦にほかならない。袁政権としては、局外中立を宣言し、国際情勢の激動から身を守るほかなかった（久保ほか二〇一八）。しかも世界大戦の勃発で中国を取り巻く国際情勢は一変し、西欧列強から新たな借款を得ることも期待できなくなった。日本は、このような袁政権の弱い立場を見きわめて青島への派兵を強行し、二十一カ条要求の大半を受諾させた。

その後、袁世凱は、日本の圧力に屈して揺らいだ政治基盤を立て直し、独裁体制をより強固なものにするため、帝政への移行を図った。著名な知識人やアメリカの政治学者の発言などを利用して帝政支持の「世論」を演出し、一九一五年末、袁は帝位に就くことを表明する。だが、帝政には旧立憲派の大物政治家張謇《ちょうけん》や袁の腹心だった軍人段祺瑞《だんきずい》すら批判的な立場をとり、雲南の蔡鍔《さいがく》を中心に各地の地方軍が中華民国を護る「護国軍」を名のって反乱を起こす。結局袁は、一六年三月、帝政を取り消して大総統へ復帰せざるを得なかった。そして同年六月、失意の内に袁世凱は病死した。

袁の死後に成立した段祺瑞政権は、一九一七年、第一次世界大戦の戦況を判断してドイツに対し宣戦布告し、大戦終結後に戦勝国の地位を確保する道を選択した。ドイツの無制限潜水艦作戦によって多数の中国人乗客の犠牲者が出たことも、そうした決定を後押しした。段政権は、英・仏など同盟国軍を後方で支援するため、ヨーロッパの戦場へ一七万人の中国人労働者を派遣した。さらにロシア革命後のシベリア情勢に対応して干渉戦争に参加し、日本との軍事協定にも応じるなど、戦後の国際社会での発言権を強め、中国の主権を擁護することをめざし、懸命の努力を続けた。

一方、日本は、段政権下の中国に西原借款と呼ばれた多額の資金をつぎこみ、影響力の拡大を図った。これは中国への国際借款団（当時は英・仏・露・日の四国）の規制の外でまとめた借款であり、寺内首相の秘書の西原亀三が交渉にあたった総額一億四五〇〇万円の借款である。しかし貸付先の多くは十分な返済の裏付けがないものであり、大半は返済されず焦げ付くことになった。しかも日本が手に入れたはずの山東利権についていえば、次に述べる五・四運動以降の情勢の展開の中、中国の民族運動と国際社会の圧力を前に、最終的に日本は山東から撤兵し、利権の返還を余儀なくされることになった。さらに、租借期限が切れる旅順と大連の中国への返還を求める旅大回収運動も広がりを見せる中で、満洲での権益にすら、それが揺らぐ危機が及ぶ可能性が懸念されるようになった。そのような警戒心を強めた勢力が、満洲に駐屯していた日本軍（関東軍）の中にも台頭し、やがて一九三一年の満洲事変を画策していくことになる。

三、民族意識と民族運動の高まり――世界大戦後のアジア

世界大戦は、主な戦場となったヨーロッパ以外の地域にも大きな衝撃を与えた。植民地にあって民族的な

自覚を高めていた人々は、戦乱によるヨーロッパ本国の弱体化を、自らが独立をめざす好機と受けとめた。本国の戦時動員で世界大戦を体験し、視野を広げ政治意識を高めた人々もいた。ヨーロッパで経済活動が衰弱する間にアジアなどで顕著な経済成長がみられたことも、各地の民衆の自信を支えた。一方、一九一七年のロシア革命で成立した新政権（第三章二参照）は、民族自決を尊重する方針を掲げて支持を集め、それを察知した欧米諸国の間にも、米大統領ウィルソンが戦後の平和を構想した一四ヵ条[3]の中で言及したように、民族自決を認める動きが広がった。アジア各地の状況をみていこう。

西アジア、アフリカ

西アジアでは、オスマン帝国の解体とトルコ共和国の誕生という刮目すべき動きが展開している。帝国の皇帝専制に終止符を打つ広義の意味でのトルコ革命は、一九〇八年に「青年トルコ」によって開始され、第一次世界大戦で敗戦国になったオスマン帝国がセーブル平和条約（一九二〇年八月調印）によって解体され、トルコまでがギリシャなどによって占領される計画が明らかになると、強い反発が広がった。そして、占領統治に抗議し、新たな国民国家の樹立をめざすトルコ大国民会議が同年四月に開催され、五月には新政府が組織された（世史⑩１０８）。様々な経緯を経て、新政府は、一九二三年七月に各国との間で改めてローザンヌ平和条約を締結し、領土と主権の保持を図るとともに、オスマン帝国時代に存在した外国に対する特権の供与（キャピチュレーション）を撤廃し、五年後に関税自主権を回復することにも成功した。一九二四年四月、トルコ共和国の憲法が公布され、軍人出身のムスタファ・ケマルが大統領に就いた（新井二〇〇一）。国民会議によって革命政府を組織し主権を保持したトルコの経験は、同時代の中国でも強い関心を集めた。

エジプトでは、世界大戦中に保護国化を強制したイギリスに対し、一九一九年三月、全国的な反乱が発生し、完全な独立を求めた（世史⑩111）。追い詰められたイギリスは、二二年に一方的にエジプト王国の独立を認める宣言を発し、ワフド党政権の下で　影響力の保持を図った。

トルコと同じ頃から立憲革命の動きが進展したイラン（ペルシア）では、影響力の強化を図るイギリスと結んだ勢力、ロシア革命で生まれた新政権と連携する勢力、トルコとの関係が強い勢力などが各地で政権樹立を試み争いあうようになり、混乱を深めた。一九二一年、そうした状況を収拾する強力な軍を確立することに成功したレザー・ハーンが、国内統一に向けた主導権を握る。それに対し議会に依った反対勢力は多数派を形成することができず、二六年、レザー・ハーンが自らを初代国王とする新王朝を樹立した。

しかし、西アジアで欧米列強が民族主義的勢力を含む様々な政治勢力を利用する姿勢をとったことは、新たな矛盾を生み出す一因になった。それが最も鮮明な形で現れたのがイギリスのとった行動である。イギリスは、短期的には戦争に必要な兵力を動員するために、また長期的には国際政治の主導権を掌握し、石油という重要な戦略物資を確保するために、一方ではアラブの民族運動指導者との間で、独立実現に向け協力することを約束した。一九一五年七月から一六年三月にかけて交わされたフサイン・マクマホン往復書簡がそれであり、メッカのシャリーフ（預言者ムハンマドの子孫）であるフサイン国王がイギリス側に立ってオスマン帝国に対し反乱を起こすならば、イギリスは「シャリーフによって要求されている地域におけるアラブ人の独立を認め、それを支援する用意がある」ことを約束した（世史⑩22）。他方、イギリスは、一七年一一月二日、ユダヤ系の人々の結束を呼びかけるシオニスト連盟会長ロスチャイルドに宛てたバルフォア外相の書簡で、「パレスチナにおいてユダヤ人の民族的郷土を設立するのが望ましい」ことを宣言するとし、事実上、アラブ地域にユダヤ系の人々が独立国を樹立することも容認した（世史⑩24）。さらに一六年五月、イギリスは、英・仏・露の三国間でオスマン帝国領東アラブ地域における勢力範囲を確定するサイクス・ピコ協定と呼ばれる秘密協定も結んだ（世史⑩23）。このイギリスの二枚舌、三枚舌の外交が、第二次世界大戦後、アラブ・パレスチナ地域で紛争が絶えまなく起きる種を蒔いた。

南アジア、東南アジア

大英帝国の植民地であったインドでは、一九一九年四月から、ローラット法（独立運動家らを裁判抜きで逮捕投獄することを可能にする立法）に反対し、人権の擁護を求める第一次非暴力抵抗運動が開始された。国民会議派のガンディーの指導の下、暴力を用いず、断食・商店閉鎖・非暴力・不服従などによる抗議運動である。これに対しイギリスの植民地当局は、三七九人の民衆を殺害したアムリットサルの虐殺などの弾圧を加える。しかし国民会議派は、翌年の大会でスワラージ（自らによる統治）とスワデーシー（国産品愛用運動）を決め、インドの自治権を拡大し、独立をめざす運動は確実に広がっていった（世史⑩96）。

インドに隣接する英領ビルマ（現ミャンマー）にも、一九二〇年、ビルマ人団体総評議会という自治権拡大を求める組織が生まれ、三五年には、イギリス本国で主権委譲を始めるためのビルマ統治法が成立した。

オランダ領東インドと称されていたインドネシアでは、一九一六年、住民の大多数を占めるムスリムの友誼・団結・相互扶助を通じて人民の進歩と商業精神の前進を呼びかけるイスラム同盟が第一回全国大会を開き、これに全国八〇支部から三六万人を代表する代議員が参加した。これに対しオランダ植民地当局は、同盟の地方支部が重税反対運動や労働運動の組織化に深く関わっていることを察知し、弾圧を加えた。一方、一四年には、オランダの社会民主党員スネーフリートらがジャワでインド社会民主同盟というグループを設立し、イスラム同盟のメンバーに社会主義と民族主義を結びつけた活動を呼びかけていた。

4

フランス領インドシナに組み込まれていたベトナムの場合、一九一九年に開かれたパリ講和会議の際、パリ在住のベトナム人留学生が結社の自由、住民の政治参加などの要求を記した請願を提出した（世史⑩53）。その留学生の一人が、第二次世界大戦後、ベトナム民主共和国を率いることになるホー・チ・ミン（グェンアイクォク、一八九二（?）―一九六九年）である。伝統的な知識人家庭に生まれたホー・チ・ミンは、一九一〇年代にフランス、アメリカ、イギリスなどで働きながら学び、自治権拡大への信念を固めていた（古田一九九六）。フランス政府は、彼らの請願を一顧だにせず無視したが、独立をめざす動きは、二五年に中国南方の広州で結成されたベトナム革命青年同志会など、さまざまな流れに引き継がれていく。

インドの民族運動、ローラット法に抗議するガンディーたち（1919年4月）

　アメリカの自治領にされていたフィリピンでは、一九一九年二月、アメリカへ第一回独立要求使節団が派遣された。大戦への協力を踏まえ、早期の独立実現を要求した活動である。その後、長期に及ぶ働きかけの結果、三五年に一〇年後の独立を準備するためのコモンウェルス政権が発足した。

日本の植民地で広がった民族運動――朝鮮、台湾

民族運動が最も大規模になった地域の一つは、日本に植民地化され九年目を迎えていた朝鮮であった。最初に動いたのは日本で学んでいた留学生である。一九一九年二月、在日留学生は民族自決主義要求宣言を発表した。ついで同年三月一日、ソウルのパゴダ公園で知識人、宗教者らが集会を開き、「独立万歳」を叫んだ。その後全国に広がった三・一運動では、延べ一万五〇〇〇回以上のデモが行われ、一〇〇〇万人以上が参加したといわれる（世史⑩49）。日本の軍や警察の弾圧によって、朝鮮の民衆の死者は七六四五人、負傷者は四万五五六二人に達した。四月には上海に大韓民国臨時政府を名のる亡命政権が樹立され、五月にはパリ講和会議に独立を要請する書簡が提出された。朝鮮統治の見直しを迫られた日本は、新任の斎藤実総督の下、「文化政治」を掲げ朝鮮語の新聞、雑誌の発行を認可するなど、若干の懐柔政策も採用する。新政策の下で、朝鮮人大学設立運動や朝鮮製品愛用運動などが展開される条件も生まれた。

一方、同じ日本の植民地であったとはいえ、台湾では、朝鮮の三・一運動に匹敵するような独立運動はみられなかった。それでも、一九二〇年に台湾からの留学生らが東京で創刊した『台湾青年』には自治権を求める記事が掲載され、二一年以降、台湾議会の開設を日本の国会に請願する運動が開始された。

五・四運動から国民革命へ――中国

ヴェルサイユ平和条約に直接関連する内容を持ち、その後の国際情勢にも大きな影響を及ぼした民族運動

が、中国の五・四運動である。一九一九年四月三〇日、パリ講和会議は、山東主権の即時回復を求める中国の主張を退け、その問題を日中二国間交渉に委ねる決定を下し、実質的に日本の山東占領の長期化を容認した。憤った北京の学生は、五月四日、天安門前で集会を開いて隣接する公使館街をデモ行進し、日本の山東占領継続に反対し、中国の主権回復をめざすことを訴えた（世史⑩51）。デモ隊の一部は、対日交渉に関わった政府高官宅にも押しかけた。この時に発生した暴力行為で逮捕された学生の釈放も求め、運動は全国に拡大した。集会やデモが全国七省の二七市に広がり、上海では六月三日、抗議の意思を示し商店などが一斉に店を閉める「罷市《ひし》」が実行された。運動の高揚を受け、中華民国政府は、逮捕していた学生を釈放し、批判の矢面に立っていた曹汝霖ら三人の高官の罷免を発表するとともに、六月二八日、ヴェルサイユ平和条約に調印しないことを正式に表明した（世史⑩52）。

五・四運動　日本に対し山東返還を求め、中華民国の国旗を掲げてデモ行進する北京の学生

　戦勝国である中国が平和条約に調印しなかった意味は重い。アメリカを中心に各国の間では、中国の主張を尊重し日本に態度変更を求める意見が大勢を占めるようになった。そこで、一九二一年一二月から翌二二年一月まで開かれたワシントン会議で、海軍軍縮条約などとともに中国に関する九ヵ国条約が調印され、中国の山東主権を回復することが国際的に確認された（世史⑩58）。これに基づき一九二二年二月四日、日中間に山東返還条約が結ばれ、中国は日本から山東の主権を取り戻した。平和的な民衆運動と国際的な外交交渉を通じて主権を回復した記憶は、中国のその後の対外問題に関わる姿勢にも影響を及ぼしていく。

その後、中華民国北京政府の統治が行き詰まる中、一九二四年一月、中国国民党は、反中央の地方政権の下にあった広州で全国代表大会を開き、ソ連の支援を受け独自の軍を創設するとともに、共産党とも協力して民衆団体の組織化を進め、帝国主義に反対し新政権の樹立をめざす国民革命を展開する方針を採択した（世史⑩64）。同年末からは、トルコ革命の経験も参照し、民衆団体の代表を集めた国民会議を招集して新政権を樹立する運動を進めている。さらに二五年五月三〇日、上海の労働争議をめぐって租界警察当局の弾圧で数十名が死傷する事件が起きると、衝撃を受けた上海の労働者、学生、商工業者らは、当局の責任を追及し租界行政権の中国への返還を求める大規模な反帝国主義運動を開始した（世史⑩66）。五・三〇運動が他の都市にも拡大する中、六月二三日には、広州の外国企業が集中していた地域で、英仏両軍の警備の兵士が反帝国主義を訴えるデモ隊に発砲し、多数の死傷者を出す事件が起きた。これに対し、広州政権（二五年七月から国民党の政権となり国民政府と称した）の支援の下、広東省と香港で外国船の荷揚げを拒否し外国品をボイコットする抗議運動が広がり、イギリスに大きな打撃を与えた。

そして二六年七月から蒋介石を中国国民革命軍総司令とし、北京の中央政府を倒し、国民党による全国統一をめざす軍事作戦、「北伐」が開始された。北伐軍は年末までに長江に達し、南京、上海に迫る勢いを示した。各地で民衆運動が発展し、武漢、上海などの労働運動、湖南などの農民運動も高揚した。だが運動の急進化は国民党内の対立を激化させ、国民政府の分裂を招いた。民衆運動を積極的に支持する国民党左派・共産党が広州から武漢へ国民政府を移したのに対し、蒋介石らは国民党右派の支持を得て、四月一二日、上海で共産党・労働運動を弾圧し（四・一二クーデター）、一八日には南京に別個の国民政府を樹立した。

武漢政府は、経済的困難が増し内部の対立が深まる中、七月一五日に共産党の分離を決め、秋には南京政

シンガポールでのインド人部隊の反乱

一九一五年二月、イギリスの植民地であった東南アジアの要衝シンガポールは、異様な緊張に包まれた。世界大戦にともなう部隊の移動と低い待遇に不満を抱いたインド軍歩兵連隊が、市内中部のアレクサンドラ兵営で、突如、反乱を起こしたからである。「港湾労働者の賃金の半分しか受け取れない我々が、なぜイングランドのために戦い、ヨーロッパで殺されねばならないのか」と、ある兵士は語った。反乱部隊の大半を占めたムスリムの兵士にとって、ムスリム盟主のオスマン帝国がドイツ側に立って参戦し英軍が戦う相手国となったことも、戦争協力を躊躇させる要因になった（秋田・細川二〇二一）。

英軍全体の中でインド軍は重要な位置を占めていた。世界大戦勃発時にインド軍の兵員数は、戦闘要員一五万五四二三名、非戦闘要員四万五六六〇名の計二〇万一〇八三名であった。その後、一九一八年一二月末までに一四四万四三七名のインド人が現地インドで戦争遂行のために動員された。同じ期間に英領インドから世界各地にインド人一〇九万六〇一三名が動員された。こうした多数の植民地兵士や要員によって支えられていたのはフランス軍なども同様であった。植民地部隊の反乱は、第一次世界大戦における列強の戦略全体を揺るがしかねない意味を持っていたのである。

この時、反乱部隊側に明確な行動計画があったわけではなく、イギリスの植民地当局は、フランス、ロシア、日本など同盟国の海軍部隊の協力も得て、短期間に反乱を鎮圧することができた。しかし、すでに大戦中から、イギリスのアジア支配の要に位置するシンガポールでこうした事態が起きていたことは、やがて大戦終結後に到来する民族運動の高まりを予告するものであった。

府に合流した。二八年四月、中断していた北伐が再開され、六月に北京政府は倒壊した。中国は二八年末までに南京国民政府の下で統一された。

一方、日本は、自国の権益を脅かす動きとして、中国の国民革命に対する警戒を強めた。二七年四月に成立した田中義一内閣は、日本人居留民の保護を名目に強硬な対華政策の推進を訴え、国民の支持を集める。田中内閣は北伐軍を牽制する二度の山東出兵を行った。他国への一方的派兵という明白な主権侵犯である。二七年の出兵は北伐が中断したので大きな摩擦を生じずに終わったが、二八年の出兵では、五月三日、山東省の省都済南で日中両軍の衝突が起き、中国側は市民を含む約一〇〇〇人が死傷し、日本側にも数十人の死傷者が出た。八日から一一日にかけ、さらに大規模な衝突が発生し、中国側に市民を中心に死者三六〇〇人、負傷者一四〇〇人、日本側にも戦死二六人、負傷一五七人という犠牲が出た。中国国内では民族主義が高揚し、山東出兵に抗議する日本品ボイコット運動は日本の対華貿易に甚大な打撃を与えた。日中交渉の結果、日本軍は何も得るところなく撤退した。国民革命を警戒し、国民政府への対決姿勢を強めて山東出兵を強行した田中外交は、結局、完全な失敗に終わった。

民族運動間の連帯と矛盾

第一次世界大戦が終結した後にアジア各地に広がった民族運動は、ただ同時に発展していただけではない。相互に参照しあうような関係、あるいは刺激しあい、連帯するような関係もみられた。五・四運動の際に北京の学生たちが書いた檄文《げきぶん》は、二ヵ月前に起きた朝鮮の三・一運動に言及し、主権擁護の大切さを訴えている。一方、トルコ革命における国民会議の経験は、一九二〇年代半ばに中国の国民会議運動の中に生かされた。またトルコ革命の展開は、インドの非暴力抵抗運動にも刺激を与えたといわれる。

ただし各地の民族運動相互の間に対立が生じる場合もあった。アラブ・パレスチナ地域では、イギリスの二枚舌、三枚舌の外交などによって、紛争が絶えまなく起きる種が生じつつあった。東アジアでは、辛亥革命が起きた際、モンゴル、チベット、トルキスタンなどの民族運動が活発化し独立をめざすようになると、漢族中心の革命政権であった中華民国政府は、そうした動きを抑える側に回った。むろんモンゴルやトルキスタンの背後にはロシアが、またチベットの背後にはイギリスが控えていたという事情もある。一方、ロシア革命に対する干渉戦争が進められた際、中華民国政府が干渉戦争を行う側に加わるという動きもみられた。いずれにせよ、各地で民族運動が勃興し、自らの国民国家を築こうとする動きが強まっていくならば、相互の利益をどのように調整するかという問題が浮かびあがってくるのは避けがたかった。

四、問われた戦争責任・戦後賠償

第一次世界大戦が画期的な意味を持ったのは、とくに膨大な犠牲と損失を出したヨーロッパを中心に、戦争に対する人々の認識が一変し、戦争は起こしてはならないとする意識が鮮明になり、戦争を始めた責任を追及し、戦後補償を求める論理が国際法の世界にも広がったことである。

しかし、平和条約が結ばれた二〇年後、世界大戦は再び起きた。なぜか。実は、第二次世界大戦の勃発にいたる火種は、第一次世界大戦後の終わらせ方の中にひそんでいた。戦後の賠償をはじめ戦後処理に関わる一連の過程の中から、新たな世界大戦の勃発を招く危うい要素が数多く生みだされていた。

戦争観と戦後賠償論の世界史的転換

近代世界を見渡してみると、すでに一九世紀の末から戦争に反対し平和を希求する運動は始まっていた。一八九一年にオーストリア平和協会を設立した女性ベルター・フォン・ズットナーは、一九〇六年にノーベル平和賞を受賞した。一八九九年と一九〇七年にオランダのハーグで開かれた国際平和会議も国際協調による平和の維持をめざす試みであったし、社会主義者の国際組織第二インターナショナルも、一九〇七年のシュトゥットガルト大会や一二年のバーゼル大会で反戦平和の決議を採択している。日露戦争の最中、一九〇四年にアムステルダムで開かれた大会では、日本代表の片山潜とロシア代表のプレハーノフが固い握手を交わし、帝国主義的な権益のための戦争に反対し、平和をめざし連帯する立場を明らかにした。

このように平和を求める声があがり始めていたとはいえ、第一次世界大戦まで、国家間の戦争は、国際法の上で合法的なものと見なされていた。ハーグ国際平和会議が決めたのは、国際紛争をできる限り平和的に処理するための国際司法裁判所の設置、並びに戦争が起きた場合の捕虜の扱いなどに関する諸規定であって、戦争自体は、主権国家間の紛争を解決する手段の一つとして容認されていた。戦後補償に関しても、第一次世界大戦以前に存在したのは、敗戦国が戦勝国に払う罰金的な Indemnity（賠償金）であった。植民地を領有することも合法とみなされていた。こうした意識が漂う中、世界大戦が実際に勃発すると、社会主義者の多くも自国の権益擁護を優先させ、開戦に賛成した。彼らが自己正当化に用いた論理は、「ツァーリの反動ロシアに攻撃されたから」（ドイツの社会主義者）、「プロイセン専制主義に攻撃されたから」（フランスの社会主義者）、「ドイツの侵略に抗して」（イギリスの社会主義者）といったものであった（西川一九八九）。戦争に反対した少数の社会主義者は、フランスの社会党指導者ジョレスのように戦争支持者によって暗殺されたり、ドイツの社会民主党国会議員リープクネヒトのように国外亡命を余儀なくされたりした。

しかし、第一次世界大戦の惨禍は、あまりにも大きなものであった。一九世紀末まで一つの戦争の犠牲者は多くても二万人から三万人だったのに対し、第一次世界大戦では独仏国境のヴェルダン要塞の攻防戦のみで六〇万人が戦死し、四年間の世界規模の戦争で一一〇〇万人が犠牲となった。工業化された戦争といわれ、戦車、潜水艦、航空機、毒ガスなどが初めて兵器に用いられるとともに、総力戦 Total war という言葉の下、民衆が戦争に総動員され、その民衆に対する無差別攻撃が広がっていた。ロシアでは、平和を求める兵士が反乱を起こし、民衆の支持を得て、戦争を進める帝政を打倒した（第三章参照）。自らの従軍体験をもとに、戦場の悲惨な現実を描いたドイツ人作家レマルクの『西部戦線異状なし』（一九二八年）は、日本も含む各国語に翻訳され、世界中でベストセラーになった（コラム「西部戦線異状なし」四六頁参照）。日本でも、こうした反戦小説は読まれていた。フランスの貧しく孤独な女性を主人公として、彼女が一人で子を産み育てながら、戦争と平和に向きあい成長していく姿を描いたロマン・ロランの長編小説『魅せられたる魂』（一九二二―三四年）も忘れがたい。ロマン・ロランは一九三二年の世界反戦大会の呼びかけ人にもなっている（第二章七六頁参照）。

大戦の経緯を振り返る議論の中で、戦争自体を国際法に反する違法行為とみなし、戦争を始めた側に戦争責任を問う考え方が形成されるようになった。「戦争＝合法」観から「戦争＝違法」観への大きな転換である。その画期になったのは、大戦終結後の一九一九年にドイツと各国との間で結ばれたヴェルサイユ平和条約だった（世史⑩54）。条約の第二三一条は、「ドイツとその同盟国による攻撃で始まった戦争が連合国とそ

「西部戦線異状なし」

主人公のドイツ兵が戦死したその日、膠着状態の戦線に目立った動きはなく、司令部の報告には「西部戦線異状なし」と記されたのみであった。著者のドイツ人ジャーナリストは、学生時代、教師の勧めで志願兵として戦場に赴き、負傷して終戦を迎えていた。一〇年後、その記憶を文字にしたレマルク『西部戦線異状なし』（一九二九年）には、ドイツの一人の若者がなぜ軍隊を志願したか、そしてドイツ軍がフランス軍、イギリス軍などと対峙した西部戦線で、兵士が何を見て、どう生き、どう死んだかが、極めて具体的に描かれている。訓練、行軍、砲爆撃、塹壕戦、毒ガスへの対処、突撃、友人の戦死、野戦病院の様子など、その一つひとつが自らの実体験に基づく鮮明な描写であり、言いようのない迫力があった。軍隊への志願を若者たちに実質的に強制した学校教育を含む社会全般の「戦争熱」も描かれている。そうした状況が全てではなかったにせよ、多くの地域で類似した情景が見られた。小説の最後には主人公の死が淡々と記される。

一連の描写を通じ戦争の悲惨さと理不尽さが読者に突きつけられ、ドイツ国内ではもちろんのこと、国外でも大きな反響を呼び、ハリウッド映画や演劇にもなった。日本では、一九二九年一月に刊行された原著が同じ年の一〇月に翻訳刊行され、たちまちベストセラーになった。一一月末には築地小劇場と新築地劇団という二つの劇団が劇化を競い、どちらも連日満員の観客を集めている。訳本では、反戦思想につながると当局が判断した箇所が無数に検閲で削除されたが、それでも、読者には十分意味が伝わった。その後、ドイツでレマルクは反戦小説家と見なされるようになり、ナチスが同国を支配するようになると、海外への亡命を余儀なくされた。

の協調国、及びその諸国民に与えた損失と損害に対し、ドイツとその同盟国が責任を有すること」を明記した。そして、民間人の被害をドイツに補償させることを定め（第二三二条）、ドイツ皇帝を国際道徳と条約の尊厳を冒した罪で国際裁判にかけることも規定した（第二二七条）。国際法上初めて、罰金的なIndemnityではなく、侵略された側の損失を償うReparations（補償金）を侵略国が支払うことが、そして、侵略戦争を引き起こした指導者の責任を問うことが規定された。最終的には調印したとはいえ、この時、日本政府は、将来、皇帝にあたる天皇が裁判にかけられる可能性が生じることを恐れ、条約への調印をためらっている。この恐れは、第二次世界大戦末期、日本の降伏が遅延してソ連の対日参戦や原爆投下を招く一因にもなった。

平和への願いを背景に、ヴェルサイユ条約第一編に記された規約によって国際連盟が発足し、国際平和の維持にあたることになった（世史⑩87）。孤立主義的な国内世論のため国際連盟に参加しなかったアメリカも含め、一九二八年、「国際紛争を解決する手段としての戦争を放棄すること」を宣言する不戦条約（パリ条約）が結ばれ、六〇ヵ国以上が調印した（世史⑩91）。国際紛争解決手段としての戦争の放棄は、いうまでもなく現在の日本国憲法第九条にも引き継がれる規定である。しかし現実に各地で武力紛争が起きた時、国際連盟にそれを抑える力はなく、不戦条約も条約違反に対する制裁規定を欠いていたため、国際連盟も、不戦条約も、世界大戦の再発を阻止することはできなかった。その意味では、これらの動きは、国際平和に向けた人類の努力の、この時点における一つの到達点でもあり限界でもあった。

一方、すでにドイツと単独講和を結んでいたソヴィエト・ロシアは、ヴェルサイユ平和条約に加わっていない。パリ講和会議開催中の一九一九年三月、モスクワに集まった各国の共産主義者は、共産主義インターナショナル（コミンテルン）を結成し、帝国主義戦争に反対し、社会主義者の世界秩序を打ち立てることを宣言した（世史⑩50）。当時はロシア国内で革命にともなって起きた内戦と外国の軍事干渉軍との戦いが進んでおり、ソヴィエト・ロシアとコミンテルンは、独自の立場から国際平和を追求することになった。

さらに、戦争責任と戦後補償に関するヴェルサイユ平和条約の諸規定が、必ずしも十全に実施されなかったことも注意されなければならない。戦争を始めた責任が問われた前ドイツ皇帝ヴィルヘルム二世は、一九一八年に革命が起き帝政が崩壊したため、終戦時に中立国オランダへ亡命していた。そして前皇帝を国際法廷で裁くことにオランダが同意せず、その国内在留を認めたため、結局、前皇帝の戦争責任が問われる機会は失われ、国際裁判は小規模なものに終わった。大戦の戦勝国でも戦敗国でもなかったオランダでは戦争責任を問うことに強い支持が集まらず、一人の亡命者である前皇帝の身柄を保護する判断が優先された。

一層大きな問題は、敗戦国ドイツに課せられた賠償が巨額にのぼったことである。懲罰的な賠償金を避け、戦後補償にとどめることが同意されていにもかかわらず、ドイツ軍による様々な残虐行為が明らかにされたこともあって、各国ではドイツに対する報復感情が高まっていた。とくにドイツを警戒する意識が強かったフランスは、賠償実施計画の策定の遅れを理由に、一九二三年、賠償を直接取り立てるためルール地方を占領するという強硬手段に訴えた。ルール地方はライン川に沿ったラインラントの中央に位置し、ドイツ鉱工業の心臓部を形成する。そこをフランスとベルギーの連合軍に占領され、ドイツ経済は破綻の危機に瀕した。こうした動きを背景に、二四年八月、総額算定を棚上げして毎年の賠償額をとりあえず確定し、同年九月から直ちに賠償支払いを実施するドーズ案が成立する（世史⑩77）。その後、二九年までの五年間に約八〇億マルク（当時のドルで約二〇億円）の賠償が、フランス、イギリス、イタリアなどの各国に支払われた。二九年には賠償総額と支払計画を決めたヤング案が決まり、ドイツの負担は当初案よりは軽減された（世史⑩77）。

それでも、ドイツ経済にとって賠償の負担は極めて重く、ドイツ国民の間ではヴェルサイユ体制に対する憎悪の念が広がった。それがナチ党に対する支持を広げた。

新たな戦争の火種――ファッショとナチ

第一次世界大戦の終結は世界各地で歓迎されたとはいえ、その結末に不満を抱く人々も多かった。重い賠償に苦しむことになった戦敗国のドイツでも、あるいは得たものが小さすぎるという意識が広がった戦勝国のイタリアでも、そうした状況が見られる。ヒトラーが国民社会主義ドイツ労働者党（ナチ）の前身であるドイツ労働党に加わり、ムッソリーニがファシスト党の基礎になる戦闘ファッショという政治集団を結成したのは、まさにヴェルサイユ平和条約が結ばれた一九一九年であった。二二年に山東撤退を強いられ、満洲での既得権益まで不安定になった日本も次第に焦慮を強めていく。こうした動きが、新たな戦争の火種になった。ただし一九二〇年代末までは、いずれの動きもまだ小さな火種であった。

ファシズムはイタリアで生まれた。[6] 結束を意味するファシオ facio に由来する政治集団、戦闘ファッショは、一九一九年三月、その五年前までは社会党員だった帰還兵士ムッソリーニと彼に近い民族主義者、帰還兵士らによって組織された。ただし彼らは、民族主義を掲げ、既成秩序を批判して急進的な社会主義勢力に反対する雑多な主張を並べていただけで、大きな政治勢力だったわけではない（ファレル二〇一一年）。この時期は、ロシア革命に刺激され急進的な社会主義勢力が力を持ち、労働者が工場を占拠して賃上げを迫ったり、農民が地主に圧力をかけ要求の実現を求めたりしていた。一方、一部の民族主義者は、一九年九月にフィウメ占領事件を起こしている。アドリア海に面し、今はクロアチア共和国に属する港湾都市フィウメを、民族主義者らが義勇軍を組織して占領し、イタリア領とすることを主張した事件である。さすがに政府も座視できず、結局、二一年末に自国の軍を派遣し、義勇軍を武力で撤退させた。鎮圧されたとはいえ、フィウメ占領事件は、イタリア民衆の中にあった世界大戦の結果に対する不満を象徴する事件であった。

一九二一年一一月、戦闘ファッショを基礎にファシスト党が組織された時点でも、ムッソリーニ支持勢力は合わせて八八議席にとどまり、中間派の二七五議席や、社会党などムッソリーニ反対派の一六〇議席に比べれば、少なかった（世史⑩75）。しかし経済界に支持されたムッソリーニは、国益追求の民族主義を掲げ、急進的な社会主義に反対し、大衆の支持を背景に秩序を回復する調停者として、存在感を増していく。二二年一〇月、ムッソリーニは首相の座に就き、中間派の民族主義者やカトリック教会勢力とも手を結び、独裁体制を固めていくことに成功した。ただし、ファシスト党の支配がその時点で確立したわけではない。二四年六月、ファシストを批判していた統一社会党議員マッテオッテイが暗殺されると、同党と共産党、人民党などその他の政党が協力してファシスト党を非難する共同行動が広がり、ムッソリーニ政権は孤立した。この時は、結局、反ファシスト側の足並みの乱れで政権側が苦境を乗り切ったとはいえ、ファシスト批判勢力は相当の力を保持していた。二五年から二六年にかけ、政権は、行政権の優位を確保するための立法措置を進め、二八年一二月には、ファシスト党の機関であった大評議会を国家の最高機関に位置づける法律まで制定した。こうしてムッソリーニの独裁体制が強化されていったにもかかわらず、イタリアのファシズムは、国王とその下の軍隊を完全に自己の統制下に置くことはできず、カトリック教会の勢力も独自の支配力を保っていた。

この間、イタリアは、地中海を挟んで向きあう北アフリカ地域で植民地支配を強めた。その足がかりになったのが現在のリビアにあたる地域である。一九一二年、オスマン帝国との戦いに勝利したイタリアは同地を植民地にし、自国本位の経済開発を推進していた。そして、一九世紀末に侵攻を試み敗退していたエチオピアに対しても、ムッソリーニ政権は、イギリスの協力を得て新たな策動に出た。すなわち二四年、イタリア・イギリス両国は、イタリアが植民地リビアの一部をイギリスの保護国エジプトに譲渡するとともに、西部エチオピアをイタリアの権益下に置き、イタリアによるエチオピア南北縦貫鉄道建設にイギリスが協力するという協定を結んだのである。しかし、エチオピア政府がこうしたイタリア・イギリス間の勝手な取引を認めなかったため、イタリアの方策は行きづまった。またリビアでは、二六年以降、イタリア人の企業活動や農業移民を強行に推進してリビア民衆の反乱を招き、三二年までかけ、ようやく鎮圧している。一連の展開の背景には、二五年以降、アメリカとカナダがイタリアからの移民を規制したこともあって、経済危機打開の方策を植民地支配に求める動きがイタリア国内で強まったことがあった。そして、ファシズムは、そうした期待にこたえるものとなった。

一方、時期を同じくしてドイツでも、ヒトラーがナチにつながる政治運動に身を投じていた。オーストリア出身のヒトラーは、一九〇八年から一三年まで、ウィーンの街の片隅で芸術アカデミーに進学する夢をひきずりながら、貧しい青春時代を送った。大戦勃発直後、志願してドイツ軍へ入隊し、四年間を軍内で過ごした後、一八年、大戦終結前夜に負傷して戦場を離れた。二〇歳代前半のウィーンでの生活と二〇歳代後半の軍隊での生活が、ヒトラーの人格と政治思想を形成する。一九年、彼はドイツ労働者党を名のる小さな政治団体に入った。一〇五〇万人が戦場に赴き、二〇〇万人が戦死し五〇〇万人が負傷したドイツには、平和を切望する人々がいただけではなく、敗戦の屈辱を胸に刻み報復を誓う人々もいた。ヒトラーもその一人だった（芝二〇二二）。彼が最初に加わったドイツ労働者党は、当時ドイツで七三を数えた民族至上主義を掲げる群小政治団体の一つだったに過ぎない。しかしバイエルンの中心都市ミュンヘンで、反ユダヤ主義とドイツ民族主義を訴えるアジテーターとして頭角を現したヒトラーは、ドイツ社会主義党という小政党も吸収し、二一年、新たに国民社会主義ドイツ労働者党（ナチ）と名のり始めた党の指導者となった（世史⑩78）。二三年一月、フランス軍のルール占領が強行され、インフレーションが猛烈な勢いで進み国民生活が一段と苦しくなったことを背景に、ナチは同年一一月、ミュンヘンで武力によって右翼独裁を樹立する企てに参加した。しかし、この時は軍や官僚の支持が得られずに失敗し、ヒトラーも逮捕され、党の活動は一時禁止された。その後、ヒトラーが出獄したあと、二五年七月、ナチは再建されたものの、しばらくは大きな役割を演じる機会はなくなる。ナチが強大な権力を掌握するのは、内外に新たな情勢が展開する一九三〇年代のことになる。

おわりに——日本の立ち位置と世界

こうして第一次世界大戦の発端から終結までを追ってくると、日本は、この時代に、何を見、何をしていたのか、が問われるであろう。利権拡大と武力による勢力均衡を求めた果てに、そして各地に住む人々の間の対立感情の激化の果てに、とてつもない破壊と殺戮が起きたのが第一次世界大戦であった。一方、日本は、それを抑えるどころか、むしろ好機と捉え、自らも武力を用いて利権拡張を狙い、結局、中国の民族運動から厳しく反撃され、国際社会からも孤立し、一歩後退を強いられた。そして朝鮮では、日本の植民地統治に対する激しい異議申し立てを受け、その手直しを迫られている。

中国や朝鮮だけではない。東南アジアでも、インドでも、中東でも民族運動は広がっていた。この時、曇りない眼で世界を見渡すならば、各地で民族的な覚醒が進み、列強の力による植民地支配という国際秩序が、音を立てて崩れ始めていたことを認識できたはずである。しかし、当時、日本人の多くは、そうした流れを理解していなかった。一九三〇年代を迎える頃から、日本は、一段と積極的に、武力で海外利権を確保し拡大する方向へと舵《かじ》を切っていく。

同じ頃、戦敗国として膨大な賠償を負担することになったドイツでも、そして戦勝国であったにもかかわらず得たものは僅かという意識が強かったイタリアでも、武力に頼って利権を広げる動きが芽生えていた。それぞれの動きが、やがてナチズムへ、ファシズムへと拡大していった時、日本もまた、それに呼応するかのような姿勢に傾いていく。耳に、第二次世界大戦へ向かう軍靴の響きが聞こえてくる。

〈注記〉

1、南スラブは、バルカンと呼ばれる広大な地域の一部であり、トルコ、ウクライナ、ハンガリーなどが隣接する。現在、この地域には、人口六九三万人（二〇二〇年推定）面積七・七万平方キロメートルのセルビア、人口四〇六万人（同）面積五・七万平方キロメートルのクロアチア、人口三三〇万人（二〇一九年推定）面積五・一万平方キロメートルのボスニア・ヘルツェゴビナをはじめ、七つの国が存在している（柴二〇二一年）。なおヘルツェゴビナはボスニアに接するヘム地方の呼称。

2、小自営農から税を集める各地のスィパーヒー（騎士）が軍役をつとめ（ティマール制）、強力な常備軍を支えた。

3、一八世紀まではイスラム教徒だけではなく多くのキリスト教徒もスィパーヒーになっていた。司法と行政の主要な機能は、シャリーア（イスラーム聖法）やカーヌーン（行政法）に拠って、イスラム法官であるカーディーが担った。一方、東方正教系のキリスト教徒は信仰を保持でき、結婚や相続、キリスト教徒同士の刑事裁判などに関しては、東方正教の宗教指導者が権限を行使した（新井二〇〇二）。

4、一九一八年一月八日の議会宛教書に盛り込まれ、「オーストリア＝ハンガリーの人々が民族としての地位を保護され保障されることを望む」（第一〇項）といった表現で東欧における民族自決と領土問題解決に向けた方針を含み、ロシア革命政権の平和攻勢に対抗する意味があった。

5、H・スネーフリート（一八八三―一九四二）は、一九二〇年代、コミンテルンから中国へ派遣され、マーリンの名で中国国民党が中国共産党の協力を得て国民革命を展開することを助けている。その後、母国オランダで国会議員も経験し、第二次世界大戦中、反ナチのレジスタンス運動を組織し犠牲となった。

6、外国人が居住する租界には独自の行政権が認められ、租界警察が置かれていた。なお五・三〇運動の発端となった労働者、学生らのデモが掲げていた主な要求は、その年の三月、上海の日系紡績工場の労働争議で中国人労働者が日本人職員によって射殺された事件の解決を求めるものであった。

一九三〇年代になると、ドイツのナチズムや日本の軍国主義もファシズムと呼ばれ、ポーランド、ブルガリア、スペインなど東欧・南欧諸国にも類似した政権が樹立された。ファシズムの運動は世界中に広がり、今では独断専行的な政治手法を非難する際、「ファッショ的暴挙」という表現が用いられるほどになった。しかし、元来は、イタリアで第一次世界大戦後の状況を背景に生まれた運動であり、体制である。

第二章

世界を変えた第二次世界大戦

はじめに

一九三九―四五年の第二次世界大戦は、史上最大の総力戦となり、犠牲者の数は五四〇〇万人に及んだ。第一次世界大戦の犠牲者一一〇〇万人の五倍に近い。多くの民衆が戦争に動員され死傷するとともに、各地で虐殺事件が発生した。ナチスによる大量殺人、日本軍が南京で起こしたる暴行殺害、世界中で起きた無差別都市爆撃、その究極の場となった原爆投下……。こうした惨禍は、なぜもたらされたのだろうか。

そして、第二次世界大戦は世界を変えた。ヨーロッパ列強の植民地帝国が消滅に向かい、非ヨーロッパ地域を民族独立の波がおおった。多くのアジア諸国も、第二次世界大戦後に独立国としての歩みを始めた。大戦中に広がった反ファシズム運動・民族独立運動は、多かれ少なかれ社会変革の契機を含み、ソ連型社会主義を志向する動きも強まった。一方、国内が戦場にならなかったアメリカは、戦時に年平均一〇%の経済成長率を記録し、戦後国際秩序の形成を主導した。戦後の世界では、米ソの対立を軸に、東西冷戦が始まる。

もう一つ重要なことがある。それは、戦争を始めた当事国として、日本が負うべき戦争責任と戦後補償は、どのように果たされてきたか、あるいはこなかったか、という問題である。戦後世界で日本が信頼を回復していくため、それは避けて通れない課題でもあった。このことについて、学習指導要領は、ほとんど何も触れない。しかし、わたしたちの歴史総合にとっては、最も重要な問題の一つに位置づけられる。

一、世界に波及した暗黒の木曜日

第二次世界大戦の勃発につながる導火線に火をつけたのは、その一〇年前、一九二九年に始まる世界大恐慌であった。恐慌は各国の経済に大きな打撃を与え、その中から、武力を使って権益を広げ、経済の回復と発展を図る国々が生まれる。日本も、その一つにほかならなかった。もちろん、大戦への導火線の火を消し、平和を守ろうとする努力は、世界各地で続けられた。にもかかわらず、ついにその努力は実らず、日本でも世界でも危険な動きが広がっていく。

アメリカの繁栄の頓挫とヨーロッパへの波及

「暗黒の木曜日」とは、一九二九年一〇月二四日、アメリカで株価が暴落し、大恐慌が始まった日を意味する。それは空前の好景気からの暗転であり、世界に大きな衝撃を与えた。

独立一五〇年を迎えた一九二〇年代、アメリカ経済は繁栄を謳歌《おうか》していた。すでに一八八〇年代からアメリカはイギリスを抜いて世界一の工業国となり、年々輸出を増やしていた。それを可能にしたのが、一九世紀にイギリスを中心に築かれた国際的な自由貿易の体制である。第一次世界大戦になると、一七年まで参戦しなかったアメリカは、戦費調達に迫られたイギリス、フランス、イタリアなどへ資金を貸し付けるとともに、軍需品などの輸出を通じて多くの利益を得た。さらに戦後は、巨額の賠償金を課されたドイツに対する貸付を行い、ここでも多くの利益を得る。世界的な資金の流れは米→独→英・仏・伊等の諸国→米となり、その中心にアメリカがいた（谷口ほか編二〇一七）。国内では、自動車が大量生産されて普及し、工業生産や日常生活のさまざまな分野で電化が進み、都市には高層ビルが競って建てられるようになる。

しかし一九二〇年代の末、こうした状況は限界に達しつつあった。株式ブームを通じ、ますますアメリカ

恐慌初期、預金を引き出そうと銀行に集まったアメリカの民衆（1929年）

に資金が集中し生産力が拡大した反面、生産されたものを消費する側の資金は乏しくなり、過剰生産が表面化した。二九年第二四半期がアメリカの工業生産のピークであり、それ以降は設備稼働率が低下しつつあった。九月三日には株価の急騰も終結した。懸念材料が広がる中、ついに一〇月二四日の大暴落が起きた。週明け、ニューヨーク市場の株価はやや持ち直すかに見えたが、二九日の火曜日にはさらに大きな暴落が生じた。電機のゼネラル・エレクトリックの株価は、九月一日につけた最高値の三九六ドルから一一月一三日に一六八ドルまで落ちた。鉄鋼のUSスチールも、二六二ドルから一五〇ドルまで下落した。こうした株価の暴落は消費を直撃し、乗用車販売台数は二九年の四四六万台から三二年の一一〇万台にまで激減した。工場の閉鎖や企業の倒産、労働者の解雇が続き、二九年に三・二%であった失業率は、一九三二年に二三・六%まで悪化する。四人に一人が仕事を失っていた。

恐慌はヨーロッパ諸国にも波及し、生産の落ち込みと価格の下落が広がった。イギリスの鉄鋼生産は一九二九年の九六三六万トンから三二年の五二六一万トンに減少している。同じ期間に、フランスの小麦粉価格は一〇〇キログラム当たり一二七フランから八一フランに下落し、奢侈品の絹は一キログラム当たり二六四フランから八五フランへと暴落した。ヨーロッパへ波及した契機は、三一年五月、オーストリア最大の民間銀行クレジット・アンシュタットが陥った経営危機である。この銀行は東欧諸国の農産物輸出に関わる金融を主な収益源としていたため、農産物の価格下落と消費減退という世界的な農業恐慌の直撃を受けた。そしてオーストリア経済の激震は、たちまち周囲に波及し、隣国ドイツでは巨額の外資が国外へ流出し、金融恐慌が発生した。資金繰りに行き詰まった企業の破産が増加し、失業者が街に溢《あふ》れた。景気が低迷していたドイツでは二九年の失業率も一三・一％と相当に高かったが、この数字は三二年に四三・八％に達している。危機の打開を求め、社会主義とファシズムの双方に対する期待が強まり、社会の両極化が進展した。

世界各地に植民地や自治領を抱えていたイギリス、フランス、オランダなどは、そうした地域と本国の間の経済連携を強化し、世界恐慌に対処しようとした。イギリスの場合、一九三二年七月から八月にかけ、カナダのオタワで経済会議を開催している。会議には、本国とともに英連邦を構成するカナダ、オーストラリア、ニュージーランド、南アフリカ、インドなど八つの自治領及び直轄植民地の代表が参加し、連邦内での関税税率を引き下げて貿易を拡大し、経済復興を図る方針について協議した。フランスは、三四年一二月から三五年四月にかけ「フランス・海外領土経済会議」を開催し、本国と植民地の間の経済関係を調整しながら相互の発展を図る方策を探った。いずれもブロック経済化と呼ばれた動きである。

一方、アメリカでは一九三三年にローズヴェルト政権が誕生し、同年三月九日からの銀行四日間休業や四月一九日の金本位制離脱、さらには証券業と銀行業の兼業を禁じる法改正などによって金融の動揺を封じ込めるとともに、国家財政を動員した大規模な公共事業によって雇用を創出し、自由貿易の推進によって市場を拡大して、不況脱出の活路を見出していった。一連の政策はニュー・ディール（新たな取り組み）と呼ばれる（第三章三参照）。

「大学は出たけれど」の日本と台頭する軍部

欧米経済の動向は、東アジアの経済にも大きな影響を及ぼしていく。一九二〇年代に景気が低迷していた日本にとって、二九年に起きた大恐慌の打撃はきわめて深刻なものになった。日本では、第一次世界大戦の終結後に発生した戦後恐慌、二三年の関東大震災の影響で生じた景気後退、そして二七年に鈴木商店、台湾銀行の経営破綻が引き起こした金融恐慌と、経済活動に対する打撃が相継ぎ、経済は低迷を続けていた。その中で日本はアメリカ発の世界大恐慌に遭遇した。

日本の輸出産業の中で最も重要だった製糸業は、奢侈《しゃし》品である絹に対するアメリカ市場の需要が落ち込み一挙に衰退した。一九二九年に一〇〇キログラム当たり二一九五円だった絹の価格は、一九三一年に九九三円になっている。経済の落ち込みは工業生産全体に及び、二九年に五一五・三だった工業生産指数（一三年を一〇〇とした指数）は三一年に三五二・一まで下落した。失業者は、二九年の二九万四〇〇〇人から三一年の四一万三〇〇〇人へと増加した。エリートである大卒者さえ職に就けず、「大学は出たけれど」という言葉が巷《ちまた》に流れた。農業への打撃は深刻で、トン当たり米価は、二九年の四三・八二円から三一年の二七・八三円へ暴落した。

イギリスやフランスのように広大な植民地を持たず、アメリカのように豊かな財政もなかった日本は、世界恐慌の嵐を前に、有効な対策を打ち出せずにいた。無力に思われた政党政治をやめ、軍部の主導で局面打開を図ろうというクーデタが企てられるようになり、一九三二年五月には五・一五事件が起きた。

大豆暴落で沈む満洲経済

日本の海外権益が集中していた満洲では、事態がさらに深刻であった。満洲経済を支えてきた大豆の輸出は、一九二九年の三〇四万トンから三〇年の二四二万トンへ減少し、価格も下がっている。世界恐慌の影響によって、輸出先の六割を占めた欧州や二割を占めた日本の需要が激減したからである。日本の満洲権益を代表する南満洲鉄道（満鉄）の経営にも大豆や石炭の輸送量減少が影響を及ぼし、二九年度に四五五〇万円だった収益は、三〇年に二一六七万円に半減した。

日本の権益を脅かしていたのは、世界恐慌の波及だけではない。一九二〇年代から三〇年代にかけ、満洲を統治していた張作霖・張学良の政権の下、満洲経済は次第に日本への依存を弱めて中国本土とのつながりを強め、自立的な発展の道を歩み始めていた。山東出兵と済南事件を契機とした反日運動の展開は、日本品不買運動として満洲にも波及している。こうした状況に危機感を抱いた関東軍は、口実を設けて武力を行使し、一挙に満洲を日本の支配下に置く計画をひそかに企てるようになった。そして三一年九月、彼らが書いたシナリオどおりに満洲事変が勃発し、展開した。

銀通貨圏にあった中国経済の特異な動き

この時期、満洲経済の落ち込みとは異なり、中国経済全体は特異な動きを見せた。銀を通貨として用いていた中国の場合、世界恐慌で物価全体が低落する中、銀の国際価格も低下したため、結果的に中国の通貨の為替レートが切り下げられる意味を持ったからである。銀安は中国の対外輸出を促進し、外国品の輸入を抑制する効果をあげた。折から国民政府の下で関税自主権が回復し、輸入関税が引きあげられた（第一章三参照）こともあって、一九二八年から三一年頃まで国産品の市場が広がり、中国経済は活況を呈した。

しかし、一九三一年九月、イギリスが金本位制を放棄したのをはじめ、各国が管理通貨制に移行し為替レートを自国本位に操作するようになると、為替レートにおける中国の優位は失われた。加えて、恐慌対策を進めていたアメリカが、銀安に苦しむ産銀業者の救済策として銀を政府が買いあげる方策を三三年から実施したため、銀の国際価格は上昇に転じ、中国の為替レートも上昇して輸出に有利な条件は失われた。さらに大きな問題は、高値の国際市場に吸引されて銀が中国から海外へ流出するようになり、中国国内の通貨流通量が減少してデフレ効果が生じたことである。三一年九月に日本が起こした満洲侵略によって国土の一〇分の一が失われたことも、経済的に大きな打撃であった。三二年から三五年にかけ、中国経済は深刻な危機に陥り、企業や銀行の倒産が相次ぐようになった。

難局を切り抜けるため、国民政府は、一九三五年一一月、幣制改革を実施し、銀貨の使用を禁じて管理通貨制に移行した。アメリカは中国から銀を買い入れて米ドルを供給し、中国の為替レート維持に協力した。イギリスも中国の政策を支持した。それに対し日本は、幣制改革に協力せず、中国の政策遂行を妨げている。その後の推移についていえば、米英の支援と中国自身が蓄えていた力によって、改革以降の為替レートは低い水準で安定的に推移し、幣制改革は成功した。翌三六年の農業が豊作だったことも好影響を及ぼしている。経済発展の道を歩みつつあった中国に、欧米各国は市場拡大の新たな可能性を見出し、三六年後半から三七年前半にかけ、一斉に関係の強化に乗りだした。しかし、満洲に続き華北も自国の経済圏に加えようとしてきた日本には、そうした情勢を脅威とみなし、注視していた勢力もあった。彼らは、中国に対する日本の全面侵略を牽引していくことになる。

二、シナリオどおりの満洲占領

満鉄線爆破の謀略

それは、突然、始まったかに見えた。奉天（瀋陽）市民は夜のしじまを破る銃声にうろたえ、霞ヶ関の外務省の役人も、日中両軍の衝突を伝える午後一一時一一分奉天領事館発の大至急電に驚愕した。一九三一年九月一八日夜、満洲（中国東北）[1]で日本が経営する南満洲鉄道株式会社（略称・満鉄）の線路で爆破事件が発生したことをきっかけに日中両軍が衝突し、またたくうちに日本軍は満洲全土をほぼ占領下に置く。軍の行動を、日本政府（若槻礼次郎内閣）も、国会も世論も追認した。

しかし、全ては仕組まれたものであった。①中国軍駐屯地に近い柳条湖を通る満鉄線の路肩に日本軍自らが爆薬を仕掛け爆発させる、②驚いて駆けつける中国軍兵士を、待ち伏せしていた日本軍部隊が銃撃し、あたかも爆破をめざした中国軍兵士に反撃したかのように装う、③奉天での戦闘開始を合図に満洲全土の戦略的要地を占領する、というシナリオが関東軍将校の間でできあがっており、その筋書きどおりに事態は進んだ（元関東軍少佐花谷正「満洲事変はこうして計画された」[2]）。関東軍とは、関東州という満洲の一角に拠点を置く日本軍の駐屯部隊である。

日本の新聞報道は、「奉軍、満鉄線を爆破、日支両軍戦端を開く」「奉天軍の計画的行動」（一九三一年九月一九日『東京朝日新聞』、奉天軍とは奉天に拠点を置く中国軍）と、日本軍の偽りの発表をそのまま伝えた。一方、中国の新聞は「日軍大挙侵略東省（日本軍が大挙満洲を侵略）」、「日軍無端尋釁、自行炸毀南満路、捏称係我国所為（日本軍は自作自演で満鉄線を爆破し、わが国の行為と虚偽の主張）」（一九三一年九月二〇日『（上海）申報』）など、日本軍が謀略によって侵略を始めた事実を正確に報じている。

関東軍は、なぜ謀略を企てたのか。戦後の証言や史料によれば、爆破は関東軍虎石台駐屯独立守備歩兵第二大隊第三中隊の河本守衛ほか数名が担当し、待ち伏せ攻撃は川島正中隊長が率いる一〇五人が行った。そして謀略立案の中心になったのは関東軍の石原莞爾中佐と板垣征四郎大佐である。[3] 石原の「欧州戦史講読」、「満蒙問題私見」などによれば、彼らは「世界大戦近し」と国際情勢を見通し、その世界大戦に備えるべく、満洲及び東蒙古を日本の領土とすることが必須であると考えていた。なぜなら、この地域は「国防上の拠点」であり、「朝鮮統治・支那指導の基地」であるとともに、農産・鉄・石炭などの資源が豊富な地域なので、日本本国の「失業者救済」策にもなるからである。しかも石原らは「支那人が近代国家を作り得るや否や頗る疑問」と、中国自身による発展の可能性を否定し、満洲領有の手段として、謀略を使うことも正当視していた。「謀略により機会を作成し、軍部主導となり、国家を強引すること、必ずしも困難にあらず」というのが石原の言葉である。

謀略により侵略戦争を起こすのは、歴史上、その例にこと欠かない。一九六四年に起きたトンキン湾事件は、「北ベトナムによって米艦が攻撃された事件」と報じられ、アメリカはそれを口実にベトナム侵略を本格化させたが、実は全くの虚報だったことが判明している（第三章五参照）。「大量破壊兵器」を除去するため、とされた二〇〇三年のイラク戦争も、後にその情報に根拠がなかったことが明らかになった。満洲事変も同様であった。では、当時、なぜ日本の民衆は謀略を信じ、いとも簡単に騙されたのか。そして、他国の領土を武力で占領するという乱暴な侵略行為が、なぜシナリオどおり順調に進んだのだろうか。

満洲占領に沸き立つ日本

日本の民衆が関東軍の情報を信じ、満洲占領を歓迎したのには理由があった。まず日本の支配層が、満洲における日本の権益保持に危機感を抱き、それを堅持する方針を主張していたことが挙げられる。日露戦争によって日本はロシアから満洲での鉄道経営、港湾管理などの権益を得ており、日本にとって満洲はきわめて重要な対外投資先になっていた。だが、当時、その根幹にある満鉄の経営は、世界恐慌の影響を受け、一〇%から三%に利益率が急落するなど悪化の一途をたどっていた。しかも中国の輸入関税引上げや延べ一一八六kmに達する満鉄平行線の建設をはじめ、中国の民族主義的な動きが日本の権益を脅かすとの見方も広がっていた。松岡洋右議員（後に外相）は、一九三一年一月、国会で「満蒙問題は我国の存亡に係わる問題である。我国民の生命線であると考えて居る、国防上にも亦経済的にも左様に考えて居るのであります」と演説している。幣原《しではら》外相も国会演説で「我が国民的生存の必要上、変改を許さざる権益」として満洲の権益を保持する意義を力説し、全般的な対中国協調方針とは別扱いで臨む姿勢を鮮明にしていた。

加えて、民衆の中にも、暮らしをよくするためには権益を保持拡大する武力行使を当然とする意識が存在した。たとえば『神戸新聞』は、「支那人になめられている。向こうから仕掛けたんだから満洲全体、いや支那全体占領したらいい。そしたら日本も金持になって、俺たちも助かる。」（人力車夫）、「今まで培ってきた満洲のことです。捨ててたまりますか。これでも日露戦争に出たんです」（商人）といった庶民の声を報じている（江口一九八二）。また全国農民組合の匿名アンケートの中には、「支那をとってしまえ、支那人の奴を殺してしまえ。うんと賠償金をとったら、景気はよくなる。」、「戦争は時々あるがいい」といった意見が書かれていた（赤澤一九八一）。

日清戦争（一八九四―九五年）以来、日露戦争（一九〇四―〇五年）、第一次世界大戦（一九一四―一八年）と、ほぼ一〇年に一度の戦争で権益を拡大し、経済を発展させてきた近代日本の歴史は、庶民の意識をも深くむしばみ、武力行使を支持する世論を形成していた。中国に国民党政権が成立する前夜に強行された一九二八年の山東出兵も、その主な狙いは満洲と華北の日本の権益擁護の姿勢を誇示することにあった（第一章三参照）。まして満洲事変が突発した時には、世界恐慌が波及する中、先に見たように日本はとくに深刻な不況に落ち込み、景気回復のためには武力行使もいとわない空気が広がっていた。戦争に反対したのは共産党など少数の政治勢力にとどまり、中国の民族主義に理解を示す主張も『東洋経済新報』など少数のメディアにとどまっていた。

国際連盟に期待し裏切られた中国

一方、中国は、どう対応したか。日本の侵略が始まった時、満洲には四五万人の中国軍（正規軍は二七万人）がおり、満洲に駐屯していた関東軍と呼ばれる日本軍一万四〇〇〇人をはるかに上回っていた。しかし、その中国軍は、各地で散発的な抵抗を見せただけで、全体としては事変発生から数日を経ぬうちに軍事行動を停止している。なぜ中国は、抵抗しなかったか。事件発生の五日後、一九三一年九月二三日に国民政府が発表した声明はこう述べている。「政府は直ちに日本の暴行を国際連盟に報告し、日本軍を即時撤退させるよう要求した。二二日、連盟理事会が開会し、軍事行動の停止と軍隊撤退を決議した。また政府は、日本軍の撤退後、この暴虐な事件を正当に解決する措置を採るよう要請した。本件が公平に調査されるならば、国際連盟はその本来の責任に則り、必ずわが国に対し公正で道理ある救済措置をとるものと確信する。したがって、全国の軍隊に対し、日本軍との衝突を避けるよう厳重な命令を下した」（世史⑩143）。国際連盟を軸とする国際世論の力が日本の不当な侵略を阻むことを期待し、中国は軍事力による抵抗を自ら停止したのである。二八年にパリで不戦条約が結ばれ、国際的に戦争を認めない思想が広がっていたことも中国を勇気づけた（第一章四参照）。同時に、国民政府下の全国統一が二八年に達成されたばかりという国内事情も大きい。各地には、共産党のような反政府勢力も含め、中央政府に従わない勢力が残存していた。満洲の防衛に中国全体が力を集中できる体制ではなかった。

しかし、国際世論の反応は鈍く、日本の侵略行動を押さえ込む力にはならなかった。国際連盟が送り込んだリットン調査団は、日本の行為の不当性は認めたものの、日本軍の撤退と原状回復を求める勧告は出していない（世史⑩145）。一九三三年二月の連盟総会は日本の行動を否認し、東三省の自治組織樹立と国際管理を提案する報告書を採択したが、日本はこれを受けいれず、同年三月、国際連盟を正式に脱退した。恐慌への対応に追われていた欧米列強は、日本との間にも緊密な経済関係を維持しており、それを直ちに断ち切って日本に圧力をかけるという選択肢は持ち合わせていなかった。国内の経済建設と軍備の強化を急いでいたスターリンのソ連も、この時点では対日関係を顧慮し、中国支援に慎重な姿勢を崩していない。

第一次上海事変で日本軍の侵攻に立ち向かう中国の一九路軍

「新天地」満洲と中国人の眼差し

満洲事変以降、日本国内では、日本主導の経済開発が進む「新天地」満洲へ、企業も、大学の卒業生も、労働者や農民も、甘い汁を求めて殺到した。その中で軍部の発言力が増大し、未遂に終わったとはいえ、若手軍人らのクーデタ計画が発覚した一九三一年の一〇月事件、失敗したとはいえ、実際に軍事クーデタを試み犬養首相らを襲って殺害した一九三二年五月の五・一五事件などが発生した。政府や議会の指導者の間には、テロにおびえ軍の独走を追認する傾向が強まっていく。

それに対し中国では、民族主義的な風潮が空前の高まりをみせた。各地で日本の侵略に対する抗議集会が開かれ、大規模な日本品不買（ボイコット）運動が展開されるとともに、馬占山ら東北軍の一部が日本軍に抵抗した戦闘を支援し、国民政府に武力による反撃を求める声が高まった。一九三一年末、蒋介石は下野に追い込まれ、一九三二年一月初め、蒋を批判してきた広東派などの勢力が政権を樹立する。しかし彼らは安定した支持基盤を持っておらず、一ヵ月に満たずして新政権は倒壊した。結局、再び蒋介石が政権に復帰し、それに国民党のもう一人の有力な指導者である汪精衛も協力する体制が整い、一九三二年一月三〇日に蒋汪合作政権が成立した。この政権は、その後、一時中断しながらも約四年間、中国の統治を担う。

蒋汪合作政権が発足する直前の一月二八日、上海でも日中間の軍事衝突が勃発した（第一次上海事変、一・二八事変）。中国の十九路軍及び国民政府直属の第五軍は、民衆に支持されながら日本軍の侵攻に頑強に抵抗した。全国の世論は上海での抗戦を支持し、国民政府も断固抵抗する姿勢を示した。苦戦を強いられた日本側は部隊を増派し、ようやく上海周辺を占領する。一九三二年五月、イギリスの調停により、日中両軍の撤退と非武装地帯設置などを決めた停戦協定が締結された。一方、世界の耳目が上海での軍事衝突に集中している間に、満洲方面では、着々と占領を既成事実化する準備が進展した。元来、満洲領有を企図していた関東軍は、国際世論を顧慮した陸軍中央に反対され「独立国」樹立に方針を転換し、一九三二年三月、「満洲国」（以下「　」省略、一九三四年三月、満洲帝国に改称）を樹立した（世史⑩144）。満洲国は、国防と鉄道・港湾等の管理及び建設などを日本に委託し、実質的に日本の新たな植民地となった。

日中関の対立の深まり

満洲国成立後も、日本の中国侵略は続いた。満洲・モンゴル・華北の境界に位置する熱河省が満洲国に帰属する姿勢を見せずにいると、日本軍はその攻略を企て、一九三三年一月、長城東端の山海関を守る中国軍を攻撃し、華北地域に侵入した。国民政府はただちに応戦し、「長城抗戦」と呼ばれる戦闘を展開する。五月三一日、熱河を攻略した日本軍は、中国軍と塘沽《タンクー》停戦協定を結び兵を収めた。協定の内容は、両軍隣接地域を日本軍が自由にパトロールできるのに対し、中国軍はそこからの撤兵を強いられるなど、きわめて中国側に不利なものになっている。

蒋汪合作政権は、中国の政治的な統一を強め経済を発展させ、国力の強化を図るとともに、当面、日本を刺激することを極力避け、満洲国問題を棚上げして妥協の可能性を見いだそうとした。三四年七月、中国は満洲国との鉄道連絡を開始し、同年末には郵便連絡を認めている。蔣介石が同年末、徐道鄰に書かせ、『外交評論』誌上に発表させた「中日問題の解決　敵か友か」という評論にも、そうしたギリギリの対日妥協姿勢が示された。三五年五月にはそれまで公使交換の水準であった日中関係が、大使を交換する水準に引きあげられた。

しかし華北一帯に影響力を広げた日本は、それを背景に経済進出を強化し、華北での権益をいっそう拡大しようとした。華北には石炭、鉄鉱石をはじめ豊富な鉱産資源と農作物、そして広大な市場が広がっていた。一九三五年五月、日本は中国に対し、天津の親日紙記者暗殺事件を口実に、北平・天津からの中国軍や国民党機関の撤退、抗日運動の停止などを要求した。国民政府はやむなく受諾を決し、六月には口頭で、七月五日には中国軍司令官である何応欽から日本軍司令官である梅津美治郎《よしじろう》に宛てた書面で、要求を承認することを伝えた（梅津・何応欽協定）。チャハルでも日本軍は同様の要求を行い、受諾させた（土肥原・秦徳純協定）。日本側の強硬な姿勢は中国の民衆の間に反発を広げ、同年一二月には華北の学生らを中心に一二・九運動と呼ばれる新たな抗日運動が起きている。

一方、満洲事変と上海事変、さらにアメリカの銀買い上げ政策によって大きな打撃を受けていた中国経済は、すでに述べたように一九三五年一一月の幣制改革を機に復興に転じ、新たな発展に向かいつつあった。英米の支援も得て低めの為替レートを維持し、好調な国際貿易と農業の豊作にも支えられ、中国は急速な景気回復を実現していく。また国民政府は、三四年一一月に共産党が武装割拠していた江西省ソヴェト区を崩壊させ、西方に脱出した共産党軍に対する追撃戦を展開し、四川をはじめとする西南地域や西北地域に中央軍を進出させ、全国を統治する力を強めた。

この間、国民政府と共産党及びソ連との関係も大きく変化しつつあった。コミンテルンの戦略転換（本章三参照）に伴い、一九三五年八月一日の八・一宣言以降、中国共産党は抗日民族統一戦線の方向に向けて動き出した（世史⑩148）。国民政府も同年秋頃から、対日戦勃発の場合を念頭に置いてソ連との秘密交渉を開始し、三六年初頭からは国共両党間の秘密交渉も行われるようになった。このような時、三六年一二月に西安事変が突発した。東北軍を率いる張学良と西北軍の将領楊虎城が、西安に来た蒋介石を拘束し、共産党軍討伐戦の停止と抗日を求めた事件である。同事変の推移は、指導者としての蒋介石に抗日を期待する国内世論の趨勢を明らかにし、また実際、その平和解決を契機に国共内戦は停止され、両党は抗日のための協力にむけて大きく歩み出すことになった（世史⑩150）。

こうして、一九三七年初め、中国では抗日の態勢づくりが進み、日本がさらに侵略の歩を進めれば、中国の全民族的な抵抗に直面するであろうことが明瞭に見通せる情勢が生まれていた。東京帝大教授だった矢内原忠雄は『中央公論』二月号に「支那問題の所在」という評論を発表する。「支那問題の所在の中心点は、民族国家としての統一建設途上に邁進《まいしん》するものとしての支那を認識することにある。此の認識に基きて支那の民族国家的統一を是認し之を援助する政策のみが、支那を助け、日本を助け、東洋の平和を助くるものである。この科学的認識に背反したる独断的政策を強行する時、その災禍は遠く後代に及び、支那を苦め、日本の国民を苦め、東洋の平和を苦めるであらう」（世史⑩194）。実際、そうした議論を意識し、日中関係の改善を模索する動きも存在した。中国から三五年一〇月に来日した経済使節団に対する答礼として、三七年三月、日本からも経済使節団が訪中して蒋介石らと会談を開き、新聞には「和気漲《みなぎ》る日支交歓」という大きな活字が踊った。[4] 日中経済提携をめざす佐藤尚武外交も進められた。こうした動きを追う限り、その四ヵ月後に日中全面戦争が始まるとは誰も予想できないほどであった。

しかし、戦争は起きた。日本は一九三七年七月、中国への全面的な侵攻を開始し、矢内原の予言は、最も不幸な形で的中する。なぜか。その過程を追う前に、ヨーロッパの情勢を一瞥《べつ》しておこう。

三、緊迫するヨーロッパ情勢と平和運動

満洲事変が勃発した時、恐慌の真只中にあった欧米諸国は、経済制裁のような強い手段で日本の満洲占領を押しとどめる力はなかった。しかもヨーロッパでは、第一次世界大戦直後に芽生えたナチズムとファシズムが独伊両国の国家体制を支える存在になり、武力で対外進出を企てるようになっていた。英仏などは自国の恐慌対策と独伊両国への対応に追われ、東アジアに深く関わろうとはしなかった。一方、戦争を招く危険な動きが明瞭になってきたことから、それに反対し平和を守ろうとする運動も強まった。では、なぜ、ファシズムとナチズムは急成長したのであろうか。また、平和を守る努力は、どのような成果を収め、どのような限界を持ったのであろうか。

イタリアのファシスト党政権

イタリアでは、国王とその下の軍、そしてカトリック教会という異質の勢力が隠然たる力をもって存在していたため、ファシスト党政権は必ずしも安定した基盤の上に立っていたわけではない。そのため、政権が

とくに力を入れて推進したのは、国民の支持を獲得する大胆な経済政策と自国本位の対外政策であった。経済政策についていえば、公営と私営が融合した公社や公団のような方式で国家財政を動員し恐慌からの脱出が図られた。

対外政策に目を向けると、ファシスト党政権は、一九二六年から三二年まで、植民地リビアで、独立を求める民衆運動への対応に追われた（第一章四参照）。ようやくそれを鎮圧すると、三四年末以降、こんどはリビアの隣国エチオピアに軍事的圧力をかけ始め、三五年一〇月二日、全面侵略を開始した（世史⑩141）。国際連盟はエチオピアの訴えを認め、イタリアに対し経済制裁を実施する（世史⑩142）。しかし、関係の悪化を恐れた英仏両国は、イタリアに大きな打撃を与える石油禁輸を制裁措置から除外するなど、制裁の内容を骨抜きにしてしまう。イタリアは国際的非難を無視して侵略を続け、三六年五月九日、首都アディスアベバを制してエチオピアの併合を宣言した。イタリア民衆の多くはファシスト党政権を熱狂的に支持し、一八九六年にイタリア軍がエチオピア軍に大敗した屈辱を晴らしたと受けとめた。しかし、その後も各地で抵抗は続き、結局、第二次世界大戦が始まり、一九四一年末にイギリス・エチオピア連合軍がイタリア軍を駆逐するまでの間に、エチオピア側には七三万五〇〇〇人の犠牲者が出たといわれる（木畑二〇〇一）。

ドイツのナチス政権

権力獲得の直前、ナチ党が一九三二年の選挙で獲得した票は、全体の三分の一だった。それに対し社会民主党や共産党など反ナチ勢力が三分の一を占め、残りは中間的、ないしは傍観的な立場を取る勢力であった。ヒトラーの政権が三三年初めに発足した時、それはナチ党と国家人民党との連立政権であり、国会内では少数派の内閣だった（世史⑩136）。要するに、この時点でナチスは圧倒的な力を握っていたわけではない。

しかし、ヒトラーは、二月末に起きた国会議事堂放火事件を共産党の犯行と決めつけ、同党の活動を禁止した。さらに三月末には、国会や大統領の合意抜きに政府だけで法律を制定できる非常大権法（全権委任法）を国会で可決させ、国家人民党を吸収したり、他党に解散を強要したりした末、七月に新党の結成禁止令を発布し、ナチ党の一党独裁を完成させた（芝二〇二一）。こうしてナチスが権力を握り、国内経済の再建と対外的威信の回復を進めるにつれ、産業界、官僚、地主貴族などがナチスの支持に回った。体制が整い巧みな宣伝が展開されるにつれ、多くの国民もナチスを支持するようになった。庶民に手が届く価格のフォルクスワーゲン（ドイツ語で「国民車」三五年試作車完成）が高速道路アウトバーン（三三年建設開始）を走り、三六年にはベルリンオリンピックが開催される。国民が献身的に「総統のために」働く社会が出現した（石田二〇二〇）。それに並行し、ユダヤ系の人々を排除する人種主義の立法化も進められた（世史⑩137）。

対外的には、日本が連盟を脱退した一九三三年、ドイツも、許容される軍備の不公平を理由に国際連盟から脱退することを通告するとともに、軍縮会議からも脱退し再軍備を進めることを宣言した。そして三五年三月、徴兵制を導入して軍備の強化に本格的に乗りだし、三六年三月にはフランスとの国境に接するラインラント非武装地帯にドイツ軍を進駐させた。英仏は強く反発するが、もはやドイツの膨張政策を押さえることは困難になっていた。三八年三月のオーストリア併合をはじめとする強硬な対外政策がドイツの栄光を輝かせるかに見え、国民は熱狂した。併合されたオーストリア国民の多くも、その熱狂を共有した（世史⑩170）。

こうした展開を背景に、ドイツは、満洲を侵略していた日本と三六年一一月に日独防共協定を結び、三七年一一月には、エチオピアを侵略していたイタリアもこれに加わって、日独伊防共協定が成立した。「共産主義のスパイ活動を防ぐ」という名目の下、実質的にはソ連を仮想敵国にした軍事同盟に近い協定である。当然、ソ連はこれに強く反発し、警戒を強めた。日ソ関係は悪化の方向に向かい、ソ連は漁業協定の更新に応じないなどの対日圧迫措置をとった。日本が統治下に置いた朝鮮や満洲とソ連との間で起きた国境をめぐる紛争も大規模化し、やがて三八年七月の張鼓峰事件へ、さらに翌年五月のハルハ河戦争（ノモンハン事件）へと発展した（本章五参照）。ただし日独伊三国とソ連の関係は、その後、複雑な経緯をたどる。

平和運動と人民戦線

国際連盟の発足とパリ不戦条約の締結は、第一章四で言及したように、各国政府の様々な思惑を超え、世界の人々の間に平和への希求が広がっていたことを意味するものであった。

イギリスでは国際連盟規約起草者の一人であった保守党の政治家ロバート・セシルらが中心になり、イギリス国際連盟協会を設立して連盟の擁護と平和を呼びかける啓蒙活動を行っていた。一九三五年に協会が呼びかけた国民の平和への意志を示す平和投票には、一一〇〇万人が参加した（土田ほか編二〇〇七）。

各国の歴史教科書の叙述を見直す動きも平和を希求する動きの一つである。すでに一九二五年、国際連盟の委員会で採択されたカサレス決議は、「他国に対する誤解を招く、間違った印象を与える記述は、教科書から消去訂正」すべきである、としていた。さらに三五年、国際連盟は、総会で「歴史教科書の改訂に関する宣言」を採択し、「諸国民の相互理解、相互依存を重視した歴史記述」を各国政府に要求した（近藤一九九八）。これに対し、イギリスやフランスの政府当局が「内政干渉」であると応じない中にあって、フランス・ドイツ両国の教員組合は、初の歴史教科書対話を始めている。そして、実際、フランスでは、反ドイツ感情を煽る教科書の不使用と回収が呼びかけられた。なお一九三三年から三五年にかけ北欧三国（ノルウェー、スウェーデン、デンマーク）の間でも、歴史教科書に関する対話が実施されている。大国スウェーデンと他の二ヵ国との抗争史を想起するならば、これも平和を支える試みの一つであった。ただし東アジアでは、各国の教科書記述を改める動きは、ほとんど目につかない。それどころか日本では、中国が日本の侵略を批判する教育を行っていることを逆に問題視し、「排日教科書」だと抗議する動きすらあった。

すでに述べたように日本の満洲侵略が始まり、イタリアではファシズムが、またドイツではナチズムが台頭した一九三〇年代は、新たな平和運動が展開される時代にもなる。一九三二年五月、フランスの作家アンリ・バリュビスとロマン・ロランは、その年の三月に発足した革命作家芸術家協会のつながりを生かし、帝国主義戦争に反対する国際大会の開催を呼びかけた。これに応じた人々が各国で準備を進め、同年八月末、世界二九ヵ国から約二二〇〇人の代表がオランダのアムステルダムに集まり、世界反戦大会が開催された。ベルリン在住の国崎定洞をはじめ日本人七人も出席している。大会（正式名「戦争反対 全党派世界会議」）では世界大戦が再び勃発する危険性に対する強い危機感が表明されるとともに、思想的・政治的見解の相違を越え、全人類を戦争の破滅から救う平和運動が呼びかけられた。バリュビスとロランの呼びかけは、コミンテルンのドイツ人共産党員[5]の働きかけで実現したものであったし、「中国で勃発した戦争は反ソ戦争へ広がり、反ソ戦争は世界大戦へ発展する」と記された呼びかけ自体、ソ連の見方に立つものであった。このようにコミンテルンとソ連の影が濃い集まりであったにもかかわらず、大会には各国の共産党員に加え、多くの社会党員や自由主義者らも参加した（カー一九八六）。

中国でも、日本でも、アムステルダム大会に呼応した動きがあった。大会で設立された世界反戦委員会の呼びかけを受け、上海租界の一角で三三年九月三〇日に開かれた極東反戦会議には、中国内外から約六〇人の代表が参加した。孫文夫人であった宋慶齢が司会をつとめ、中国在住の日本人も出席している。但し会議では、国民政府による共産党掃討戦に抗議するといった党派色の強い決議も採択され、内外の広範な人々が参加する平和運動への道が開かれたとは言い難い。一方、世界反戦委員会の呼びかけは日本の知識人にも直接送付され、三三年六月下旬、極東反戦会議開催に賛同する「極東平和友の会」発起人会の準備会が結成された。発起人には、加藤勘十、秋田雨雀、江口渙、長谷川如是閑、麻生久など自由主義者からさまざまな社会主義者を含む一四人が名を連ねている（犬丸一九七八）。しかし、警察当局に妨害されて活動は頓挫し、日本から上海の極東反戦会議へ代表を派遣することはできなかった[6]。

ソ連及びコミンテルンは、一九三四年頃から、それまでの姿勢を大きく転換し、他の政党政派と連携した平和運動を重視するようになった。それ以前、すなわち一九二〇年代末から三〇年代初め頃にかけ、ソ連は、国内で政治的な緊張が高まったことも背景に、共産党とは異なる立場をとる各国の社会主義勢力を敵視し、激しい非難を浴びせていた。コミンテルンと各国の共産党もそれに足並みを合わせ、結果的には、そうした姿勢が、イタリアのファシスト党政権やドイツのナチズムに対する共同闘争を妨げ、彼らの台頭を助けていた。しかし、三四年頃から、ドイツ、イタリア、日本などの危険な動きを直視し、そうした他の社会主義勢力とも協力する姿勢を見せ始めた。ブルガリア出身の共産主義者ディミトロフは、ドイツに滞在していた自分が三三年の国会放火事件で全く事実無根の容疑で不当逮捕され、法廷で全面的に反駁してようやく釈放された経験も踏まえ、三四年七月のコミンテルン執行委員会などで、ナチズムに対抗する幅広い統一戦線の必要性を訴えた（西川ほか一九七八）。フランスでは、三四年二月六日、ファシズムの影響を受けていた極右団体が、汚職事件の摘発に関わり警察との間で多数の死傷者を出す衝突事件を引き起こしたことを契機として、危機感を強めた社会党と共産党の反ファシズム統一行動が同月一二日に実現していた。この動きは、曲折を経ながらも同年六月に共産党が統一戦線政策を採択し、三六年六月、フランスに人民戦線政府が成立する出発点になった（平瀬一九七四）。短命に終わったとはいえ、人民戦線政府は社会主義的な改革にも足を踏み出している（第三章三参照）。

フランス共産党の政策転換の背後にはコミンテルンの支持が存在したし、そのコミンテルンの方針は、一九三五年五月の仏ソ相互援助条約につながるソ連の対仏接近政策に連動したものでもあった。国際政治の動向を注視していたスターリンらは、ソ連の国益を基準として、ドイツと日本の対ソ戦争を抑えることに効果がある対外政策に最も高い優先順位を与えるようになっていた。日本が三三年三月に、ドイツが同年一〇月に国際連盟を脱退したのに対し、翌三四年九月にソ連が国際連盟に加入した事実は象徴的である。一方、時期を同じくしてソ連国内ではスターリン崇拝が高まり、他の指導者を外国のスパイとの無実の罪で失脚させ、投獄、処刑する党内粛清が進んでいた。対外的危機感と国内の引締めとが相互に響きあう状況である。こうしたソ連の状況が、コミンテルンによって反ファシズム人民戦線が推進される背景に存在した。

一九三五年七月二五日から八月二一日にかけ、モスクワでコミンテルン第七回大会が開かれ、世界の六五の地域の共産党代表を含む五一〇人が出席した（世史⑩162）。基調報告を担当したディミトロフは、「権力を握ったファシズムは、金融資本の最も反動的、最も排外主義的、最も帝国主義的な分子の公然たるテロ独裁である」と述べ、イタリアのファシスト党政権やドイツのナチス政権などと戦うため、各地の共産党が他の様々な政治勢力と協力し、広範な反ファシズム人民戦線を構築する方針を提起した（西川ほか一九七八）。その後の討論では、ドイツと日本の侵略を阻み、ソ連を防衛し平和を擁護する闘争が重要になることが強調されるとともに、ドイツに脅かされていたオランダ、チェコスロバキアなどの代表はファシストの侵略から国民的独立を守る必要性を力説し、九人の代表が発言した中国は、日本の侵略に反対する抗日統一戦線の結成を焦眉の課題であるとした。大会決議は「諸国民の平和と自由にとっての最大の脅威であるファシズム」に対し、ひとりよがりのセクト主義を克服し広範な反ファシズム人民戦線を創設することを呼びかけた。

ソ連とコミンテルンが平和擁護と反ファシズム人民戦線結成に舵を切ったことは、世界各地で侵略戦争に反対する運動が強まる要因の一つになった。フランスの人民戦線政府成立に先立ち、一九三六年二月にはスペインで人民戦線政府が発足している（世史⑩164）。中国では、三六年一二月の西安事変と三七年二月の国民党の会議を経て、国共両党の協力を軸に日本の侵略に諸勢力が共同で対抗する体制が形成されつつあった（本章二参照）。スペイン人民戦線政府に対し軍の一部が反乱を起こして内戦が始まると、イタリアとドイツが反乱軍を支援したのに対し、欧米各国では人民戦線政府を支援する義勇軍が組織され、ソ連も人民戦線政府に武器を援助した（世史⑩168）。

一九三六年九月には、イギリスを中心とする平和運動とフランスを中心とする反ファシズム人民戦線の平和運動の二つの流れが合流し、世界平和連合（仏語 Rasemblement Univerel pour la paix、英語 International Peace Campaign）が結成された（土田編二〇〇七）。ベルギーのブリュッセルで九月三日から六日まで開かれた結成大会には、中国を含む三五ヵ国の代表と四〇の国際組織代表など計四〇〇〇人が参加した。大会に参加した中国人には、王礼錫、陳銘枢《ちんめいすう》、陶行知、銭俊瑞など左派系の人々の名が多くみられる。日本とドイツからの参加者はいなかった。世界平和連合は、イタリアのエチオピア侵略とスペイン内戦へのイタリア・ドイツの干渉に反対するとともに、ドイツのチェコスロバキア併合の動きにも強い警戒感を示した。日本の中国侵略が始まると、世界平和連合は日本を厳しく非難する国際世論の先頭に立つ。

大戦直前の国際政治

以上に述べたような平和を求める世論と運動が存在したにもかかわらず、世界大戦の勃発を阻止することはできなかった。その理由としてしばしば指摘されるのが、英仏両国がイタリアとドイツに対して採った宥和政策である。三五年一〇月に開始されたイタリアのエチオピア侵略に対し、国際連盟が経済制裁を決めたにもかかわらず、イタリアとの関係悪化を恐れた英仏両国は、すでに述べたように経済制裁の内容を骨抜きにした。一方ドイツは、フランスとの国境地帯ラインラントに三六年三月に進駐した後、三八年九月にはチェコスロバキアのズデーデン地方を併合した。ドイツ東方に支配を広げ、その資源と領土を略奪して強大な国家を実現しようというナチス政権の壮大な計画の一歩である。しかし英仏独伊の四ヵ国が同月に開いたミュンヘン会談は、結局、この併合を承認する協定を結んで幕を閉じた（世史⑩171）。

英仏両国には、さまざまな考えが存在した。一九三七年にイギリスの首相に就いたチェンバレンは、ドイツの要求を認め、平和的に国境を修正することが戦争を回避する道であると信じていた。政府の外にいたチャーチルらが提起していた、ドイツの東方進出に英仏ソの同盟で対抗せよとの主張は、少数の声にとどまった。フランスの人民戦線政府首相ブルムも、戦争回避を求める国内世論を考慮し、ドイツに対し強力な行動をとることをためらい続け、スペイン人民戦線政府への援助にも消極的な態度をとった。それに対し、フランス共産党のようにブルムの態度を批判する勢力は一部に限られていた。したがってミュンヘン協定が調印された当時、英仏両国の世論の大勢は、それを戦争の危機からヨーロッパを救ったものとして歓迎した。

この間、東アジアでは、イタリアのファシスト党政権とドイツのナチス政権が対中侵略を進める日本との連携を強めたことが大きな影響を及ぼしていた。それは中国に新たな困難をもたらす一方、中国がソ連や英米との関係を一層緊密なものにしていく要因になった。イタリアの場合、中国との経済関係は小さかったとはいえ、一九三〇年代半ばまで中国に空軍機を供給する重要な国の一つになっており、ファシズム思想の中国国内への影響にも無視できないものがあった。国民党右派が組織した民族主義団体が藍衣社と呼ばれたのは、ファシスト党の黒シャツをを模し、藍色の衣服を身にまとったからである。またドイツは、以前から中国に軍事顧問団を派遣しており、重化学工業分野でも中国への経済協力を強めていた。日中戦争が始まった当初、ドイツのトラウトマン大使が中国の対日交渉斡旋に乗りだしたり、ドイツ企業シーメンスの南京駐在員ラーベが中国人難民の救援に参加したりしたのも、元来、中独関係が良好だったことを示すものであった。しかし、すでに述べたように三七年一一月、日独伊防共協定が結ばれてから中国と独・伊両国との関係は疎遠なものになり、四〇年九月に結ばれた日独伊三国軍事同盟で、中国と独・伊両国との対立は決定的なものになった。日中戦争が開始された後、中国は、当初はソ連から、四〇年以降は英米両国、とくにアメリカからの巨額の経済援助と軍事的支援に大きく依存するようになる。

ドイツの東方進出の最終的な標的にされたソ連は、ミュンヘン協定の後も、ドイツを牽制する軍事同盟を英仏両国と結ぶことを期待していた。しかし、ついにそれが空しい期待に終わると、日本とのハルハ河戦争

（本章五参照）の推移も踏まえ、一九三九年八月二三日、ドイツと独ソ不可侵条約を結び、一方が戦争に巻き込まれた場合の中立維持を約し、暫しの安全を確保する方針に転じた（世史⑩172）。そして、ソ連軍が動かないことを確認できたドイツは、九月一日、ポーランドに侵入した。第二次世界大戦の火蓋が切られた。

四、盧溝橋から南京へ

盧溝橋事件の真実と戦争拡大の原因

北京西南の玄関口、永定河にかかる橋が日中全面戦争の発火点になった。その橋、盧溝橋は七百年以上前に建造され、大理石の白い欄干が今も美しい。欄干に並ぶ二八一本の石柱の頭部には、それぞれ表情の異なる獅子が彫刻され、橋全体が一つの歴史的文化財としての価値を持っている。一四世紀末、マルコポーロの『東方見聞録』で紹介されたことから、欧米ではマルコポーロ・ブリッジの名で知られていた。

一九三七年七月七日の夜半、この盧溝橋を守る中国軍を日本の華北駐屯軍が攻撃したことから、八年間に及ぶ日中戦争が始まった。[7] なぜ日本軍は中国軍を攻撃したのだろうか。日本軍側の記録によれば、駐屯軍第三大隊第八中隊の一三五人が永定河の河原で夜間演習中、七日午後一〇時四〇分に兵士一人が行方不明となり、同時刻に「銃声」が聞こえたことから、行方不明者捜索のため第三大隊（大隊長一木《いちき》清直）約五〇〇人が出動した。午前一時に大隊が盧溝橋に到着した時、行方不明だった兵士はすでに何事もなく帰隊していたが、午前三時二五分に再び「銃声」が聞こえたので、盧溝橋を守る中国軍を攻撃した、と説明されている。

一方、中国軍側の記録によれば、突然、日本軍が攻撃してきたとされ、日本軍のいう「銃声」に関する記述はない。中国軍は、突然の攻撃に対し応戦を余儀なくされ、武力衝突が拡大した。

日本では「謎の銃声」とまで言われ、銃弾発射は当然の事実であるかのように語られてきた。しかし携行可能な録音装置がなかった当時、「銃声」が録音されたわけではなく、弾痕が確認されたわけでもない。「銃声」については、日本軍兵士の「聞こえた」という証言があるだけである。なお、日本軍の夜間軍事演習に反感や警戒心を抱いた中国軍兵士の個人的な行為として、発砲があった可能性を指摘する見解（秦一九九六）もあるが、これも文字どおり推測の域を出るものではない。事件が起きた当時、北京（当時は北平と呼称）にいた日本軍関係者や外交官の間では、その有無さえ不確実な「発砲」事件を理由に戦闘を続けるべきではないとの判断が強まり、中国側との交渉を通じて現地停戦が実現した（安井一九九三）。七月一一日のことである。北京現地では、これで戦火はひとまず止むかに思われた。

日中戦争の勃発地点となった北京郊外の盧溝橋

しかし、そのような流れを一挙に覆し、戦闘の拡大へ突き進む動きが東京で進んでいた。七月八日朝、盧溝橋事件の第一報を受けた日本陸軍参謀本部では、「厄介なことが起きた」と受けとめる柴山軍務課長らに対し、「愉快なことが起きた、三箇師四箇師で一撃を」と考える武藤作戦課長らの考えが交錯する。不拡大派と呼ばれる前者が事態を慎重に収束させようとしたのに対し、拡大派と呼ばれる後者は、軍事衝突の発生を好機として、中国側に軍事的な圧力をかけ、それによって一挙に日中間の懸案を日本側に有利な形で解決しようとしていた。軍事力による権益拡大の路線である。参謀本部の議論では、結局、不拡大派を拡大派が圧倒し、七月一〇日、関東軍・朝鮮軍・内地軍から四万人を中国へ増派する案が決定する。そして、まさに北京現地で停戦協定が発効した一一日、日本政府（近衛文麿内閣）の閣議は、この増派案を承認した。中国側は、一方で停戦協議を進めつつ、他方で軍事的圧力を強める日本側の姿勢に強い不信感を抱く。

実際、日本側の行動は、多くの疑問を抱かせるものであった。日中関係改善の模索も続いていたこの時期、なぜ、古都北京を守る中国軍の面前で夜間に軍事演習をしたのか。なぜ、有無さえ不確実な銃声だけを理由に一方的に攻撃を始めたのか。そして、軍内にすら異論があった拡大方針を、なぜ、閣議は安易に承認し、世論もそれを支持したのか。結局のところ、武力衝突を回避する努力が微弱であった一方、軍事力による権益追求を当然視する考え方は、いたるところに溢れていたというほかない。

日本側の慌ただしい動きに比べ、中国側は極めて慎重に対処した。事件発生一〇日後の七月一七日、夏の避暑地である江西省廬山《ろざん》で、中国政府の指導者蒋介石は各界有力者を前に、次のように語った。「わが国の国力を直視するならば、国家建設のために平和が絶対に必要であるとはいえ、万一、ほんとうに避け難い最後の関頭に至ったならば、ただ抗戦するのみである。我々はなお平和を希望し外交交渉による解決を希望している。我々の立場はきわめて明瞭な四点である。（一）中国の主権と領土の保全、（二）現在の行政機構の維持、（三）地方官の地位の保持、（四）軍の駐屯地域の現状維持」（世史⑩193）。蒋介石の主張は、主権擁護を前提として平和的な解決を求め、応戦の準備は進めつつ、日本側の対応を注視するというものであり、政府や軍のなかでも確認された内容であった。実際、国民政府が力を入れて推進していた重工業建設三ヵ年計画にしても、一九三七年は、計画を開始してから二年目である。軍事衝突を望む情況ではなかった。

要するに小さな衝突が八年間も続く大戦争になってしまった原因に関し、盧溝橋、北京、東京、廬山などでの日中両国の動きや発言を一つひとつ検討していくならば、中国側ではなく日本側、とくに東京での政策決定に最も大きな問題があったと判断せざるを得ない。そしてその背後には、中国の主権を尊重せず、軍事力の行使も厭わず、ひたすら自国の利権拡大を追求する満洲事変以来の日本の対中国政策が横たわっていた。

南京に注がれた世界の眼、知らなかった日本人

日中戦争が拡大を続ける中、当時、中国の首都であった南京の攻防戦に際して起きたのが、南京大虐殺、もしくはたんに南京事件と呼ばれる事態である。盧溝橋事件後に四万人規模の兵力増派に踏み切った日本は、中国が屈せず抵抗を続けると、さらに増派を重ねた。八月には上海でも日中両軍の衝突が発生し、戦火は拡大の一途をたどる。そこで、首都を攻略し中国に屈服を迫ろうと考えた日本軍は、南京をめざした。首都攻防戦では日本軍約二〇万人と中国軍約一五万人が激突している。そして一二月に南京を占領するまでに、日本軍は、中国の多くの一般市民と捕虜に暴行を加え殺害した。近年の研究によれば、犠牲者の総数は数万〜十数万人と推定されている（笠原一九九七）。

暴行の惨状は、日本軍各部隊の「戦闘詳報」、個々の日本人将兵が残した日記類、そして九死に一生を得た中国人の証言などによって、つぶさに明らかにされた。それは日本軍の最高指揮官であった松井石根《いわね》大将自身が、南京占領直後に軍の幹部を集め兵の暴行を叱責したほどのものであった（秦一九八六）。市の中心部の難民区（国際安全区）では、南京にいた欧米の商社員、教員、牧師らのボランティア二二人が南京安全

日本軍の南京攻撃

区国際委員会（委員長J・H・D・ラーベ、ドイツ企業シーメンス社員）を組織し難民救援活動を行った。委員会は、二五万人にも達した難民の食糧確保や医療衛生のために奔走するとともに、日本軍の残虐行為を現場で目撃する証人にもなった。彼らの情報に基づき英紙マンチェスター・ガーディアン中国特派員だったH・J・ティンパーリーがまとめた『戦争とは何か——中国における日本軍の暴行』は、一九三八年夏以降、英語、フランス語、中国語などで出版され、世界中に日本軍の暴行を知らせた。

なぜ多くの犠牲者が出たのか。まず第一の理由は、広大な地域で日本軍が中国の民衆から直接食糧や物資を奪い、暴行する場面が多発したことである。上海から南京に至る東西約三〇〇キロ、南北約一〇〇キロに戦線を拡大した日本は、兵士に十分な物資を補給できず、兵士は中国の民衆から食料を奪いとるようになった。その過程で、民衆に暴力をふるう機会が激増し、女性に対する性的暴力や殺害事件も頻発した。

第二の理由は、日本軍に投降した中国人兵士が、捕虜となった後に殺害されたことである。戦争に関する国際法規によれば、捕虜の殺害は許されない。日露戦争や第一次世界大戦の時は日本軍もそれを遵守した。しかし日中戦争の時は違った。中国人に対する蔑視も加わり、捕虜にした中国兵を各地で殺害している。加えて日本軍の補給体制が崩壊した南京では、捕虜に食事も与えられない状況になったことが大量殺害の動機になった。たとえば歩兵第六五連隊の将校は、「捕虜総数一万七千二十五名。夕刻より軍命令により捕虜の三分の一を江岸〔長江沿岸・引用者注〕に引き出しⅠ〔第一大隊・同〕において射殺す。一日二合宛給養するに百俵を要し、兵自身徴発により給養しおる今日、到底不可能事にして軍より適当に処分すべしとの命令ありたるもののごとし」と日誌に書き残している（笠原一九九七）。南京市内や近郊各地で、数百人から一万人以上に達する規模で収容された捕虜に関し、「だいたい捕虜はせぬ方針」と歩兵第一六師団中島今朝吾師団長は日記に記し、歩兵第一二七旅団は「捕虜は全部殺すべし」という命令を発していた（同上）。

南京事件の犠牲者が膨大な数にのぼったことについては、ほかにも様々な原因が指摘されている。その一つは、南京防衛にあたった中国軍が秩序ある撤退を組織することに失敗し、混乱の中、多数の敗残兵が生まれたことである。また、苦戦を強いられた日本兵が敵愾心《てきがいしん》を燃やし、捕らえた中国兵を残虐に取り扱う傾向があったという回想もある。

南京占領に際し日本軍が虐殺と暴行を行ったというニュースは、当時、世界中に広まった。南京にはまだ欧米のメディア関係者が残っていたし、中国側も積極的に発信し告発した。当時の国際報道に関し、戦後、日本国内で、そうした報道は国民党政権による反日宣伝の結果とする見方が示されたことがある[8]。しかし一九八〇年代以降、中国で生存者に対する大規模な聞き取り調査が進められるとともに、南京安全区国際委員会の委員長を務めたラーベの日記や委員の一人であった牧師マギーの日記など、緊迫した状況を生々しく伝える個人の記録も公刊され、日本軍による虐殺と暴行は、極めて広範囲に及ぶ深刻なものであったことが改めて確認された。

抗日を記憶する「義勇軍行進曲」

抗日戦争は、中国の国民的な記憶となって語り継がれていく。一九三五年に映画「嵐の中の若者たち」の挿入歌としてつくられた「義勇軍行進曲」も、それを象徴する運命をたどった（久保二〇一九）。映画は、日本軍の一九三三年の華北侵入以降の情勢を背景に中国の抵抗を描くものであり、最後のシーンに重ね「中華民族はもっとも危険な時を迎えている。起て！起て！起て！」という義勇軍行進曲が流れていた。

一九三〇年代の上海市民にとって、映画は最大の娯楽の一つであり、ハリウッド製の外国映画が人気を集める一方、年平均一〇〇本程度の国産映画も作られるようになっていた。その一本として、日本の侵略への抵抗を呼びかける社会派映画が企画されたのはそれほど不思議なことではない。ただし映画自体は筋立てに無理が多く、興行的にも失敗した。

そもそも義勇軍行進曲は、単なる「反日の歌」かというと、事情はそう簡単なものではない。作曲者の聶耳《ニエアル》（音読み「じょう・じ」、中国語音ニエ・アル。一九一二―三五年）は、雲南の省都昆明で近代教育を受け、一九三〇年代に上海の映画界で仕事をするようになった。当初は映画会社が設けた少女歌舞団のバイオリン奏者だったが、やがて映画音楽の作曲も手がけるようになり、一九三五年、「義勇軍行進曲」をつくることになる。たまたま、この年の春、日本へやってきたため、楽譜を聶耳が最終的に完成させた場所は東京であった。聶耳は、東京で毎週のように近代劇の公演や演奏会に足を運び、新たな知識を吸収しながら暮らしていた。一方、作詞者は田漢《ティエンハン》

（でん・かん、ティエン・ハン一八九八―一九六八年）という若手の文学者で、やはり一九三〇年代の上海で活躍していた。湖南生まれで一九一六年から二二年まで、日本に留学した経験がある。東京高等師範（後の東京教育大学）に学びながら、浅草の映画館や劇場に通いつめ、大正時代の日本で近代文学、近代劇、アメリカ映画などに触れた。帰国後、一九二〇年代末から三〇年代にかけ、近代劇の創作上演で活躍していた。

要するに二人とも一九三〇年代の上海が生んだ時代の子であり、日本に深い縁があった。当時の中国にあって日本を比較的よく理解していたといってよい二人の若者が、日本の対中侵略に反対してつくったのが、この「義勇軍行進曲」だったということになる。実は歌が挿入された映画「風雲児女」を監督した許幸之も東京芸術大学に留学し油絵を学んだ日本留学生であったし、撮影主任をつとめた若者も日本で映画制作技術を学んでいた。日本との関わりが深く、日本を知る人々が、まさにそうであったからこそ、日本が中国を侵略する動きに強く反対した。

「義勇軍行進曲」は、日本の侵略への抵抗を呼びかける集会などの場で歌われるようになり、やがて抗日運動の高揚とともに多くの人々の間に広がっていった。そして一九四九年、中華人民共和国が誕生する前夜に開かれた人民政治協商会議で、抗日戦争中にさらに広まり、国民的な記憶が込められるようになった「義勇軍行進曲」を国歌にすることが提案され、採択された。ただし聶耳は、彼の作曲した歌が国歌に選ばれたことを知らない。一九三五年七月、日本滞在中に神奈川県の鵠沼《くげぬま》海岸で遊泳中、不幸にも溺死したからである。作詞者の田漢は一九五〇年代に中華人民共和国の文化部門で活躍した。しかし「プロレタリア文化大革命」と呼ばれる混乱の中で迫害され、一九六八年に死んだ。

一方、当時、厳しい報道管制下にあった日本のメディアは、日本軍が南京で起こした虐殺と暴力行為をいっさい報じなかった。新聞には、中国の首都南京を陥落させたという歓喜に満ちた見出しが躍り、日本軍の「武勇」を賞賛する文章があふれかえっている。そうした中にあって、日本軍の非道を告発しようとした日本人もいた。『中央公論』誌の特派員として一九三八年一月に南京を訪れた小説家石川達三は、現地での見聞に衝撃を受け、日本兵への取材に基づき同誌三月号に「生きている兵隊」を発表した。この作品は、フィクションの体裁を取りながら、泣き叫ぶ娘を射殺する兵士や平然と捕虜を斬り殺す兵士など、実際に起きた虐殺行為を描いている。だが、その文章が国民の目に触れることはなかった。雑誌の発売当日、内務省は頒布禁止処分を通告し、石川と編集長は、軍事報道を規制する新聞紙法に違反したとして逮捕され、禁固四ヵ月執行猶予三年の判決を下された（秦一九八六）。

日本では、「南京で虐殺など何も起きていなかった」という南京事件否定論が、一九七〇年代頃から聞かれるようになった。今でもそうした主張がネット上でまことしやかに流される時がある。なぜ、日本では南京事件否定論が繰りかえし出てくるのか。その第一の最も大きな理由は、日本の多くの国民は戦時中に耳目を塞がれ、同時代の出来事として南京虐殺を記憶に刻むことができなかったことにある。また日中戦争の場合、日本の大多数の国民にとって戦場は遙か離れた異国の地であって、戦場の真実を直接知る機会はほとんどなかった。そして、日本に帰った帰還兵たちが、戦場で自らも関わった虐殺や暴力行為を周囲に話すことは極めて稀であった。

南京事件否定論が出てくる第二の理由は、以上の条件の下、戦後も、歴史教科書で南京事件を正確に叙述することを妨げる動きが生じたり、『「南京大虐殺」のまぼろし』という、ある本の書名に象徴される歪んだ情報が流されたりするなど、教育・出版の分野で虐殺と暴力行為が、十分に語られてこなかったことである。国民は、戦後、日本の戦争犯罪を裁いた極東国際軍事裁判（一九四六—四八年、東京裁判、本章六参照）で、初めて南京事件を知った。しかし、自国兵士の残虐行為を知らずにいたた敗戦国の民衆は、戦後、勝者からそれを聞かされても、そしてたとえそれが否定できない事実であっても、その事実を容易に受け入れ難い心理状態が続いた。先に言及した本にしても、その叙述自体は南京虐殺を全否定したわけではなかったが、そのような意味を持つ本であると受けとめられた（笠原二〇〇八）。

南京事件否定論が未だに繰り返される第三の理由は、中国側による史実の発掘、及びそれに基づく日本軍の責任の追及が、戦後のある期間、ほとんど中断していたことにある。極東国際軍事裁判では、中国の国民党政権が派遣した判事が南京事件をとりあげ、厳しく糾弾した。しかし、一九四九年、国民党政権の大陸統治が崩壊した後、日中間の国交は不正常な状態に陥り、南京事件を追及する声は、なかなか日本まで届かないようになった。前にも触れたように、生存者の証言を中国側が大々的に集め公表するようになったのは、八〇年代以降のことである。

日本軍による虐殺と暴力行為は、日中戦争の全ての期間を通じ、絶えることがなかった。日本では、一九六〇年代から八〇年代にかけ、老境を迎えた元兵士らによって「〇〇連隊史」、「〇〇中隊史」などと呼ばれる部隊の記録や個人の日記、回想録の類が、自費出版などの形で数百冊以上刊行された。その中にも、日本軍が中国各地で捕虜を惨殺し、民衆に暴行を加えた事実が無数に記されている。南京事件は氷山の一角に過ぎない。さらに暴行から逃れるために故郷を離れた難民の数は、四〇〇〇万人とも七〇〇〇万にとも言われる膨大な数に達した（野澤一九七二）。その意味で、一九三七年末から三八年初めにかけ南京とその周辺

国境を越えた「君いつ帰る（何日君再来《ホーリージュンツァイライ》）」

戦後日本でテレサ・テンがリバイバルさせた「何日君再来（ホーリージ ユン ツァイライ）」（邦題「君いつ帰る」）は、日中戦争期に生まれた大ヒット曲であった。今宵、別れた後、いつまたあなたは来てくれるのか、楽しい時はいつもあるわけではない、という歌詞は、普通の時代であれば、たんに男女の別離の切なさを歌っただけのものだったであろう。しかし、この歌の場合は違った。一九三七年、人気の少女歌手周璇《ジョウシュアン》（しゅう・せん）が美しい歌声を響かせた時、まさに日中戦争が勃発したからである。それまで好景気に沸いていた上海の情景は一挙に暗転した。そして、ひとまず硝煙がおさまり、戦線が膠着状態に陥った時、中国の人々は、戦争がもたらしたさまざまな別れに思いを込めながら、この歌を耳にし、口ずさむことになった。中国語の発音で「君」と「軍」は通じるので、中国軍がいつ日本軍を追い散らし、上海に戻ってくるかという思いを込める時もあった。

一方、「何日君再来」は、渡辺はま子のような日本人の歌手によって日本語でも歌われるようになった。中国へやってきた多くの日本兵や一般の日本人も、故郷への思いを込め「君いつ帰る」と歌ったのである。戦後日本でのリバイバルには、そうした背景があった（中薗一九九三）。

「何日君再来」を歌った周璇は、「義勇軍行進曲」を作曲した聶耳とも顔なじみであり、二つの歌は、存外、近いところにあった。この歌の歌詞は、元来、練り歯磨の宣伝用映画に使うため、売れっ子作家の黄嘉謨が書いたものだったし、原曲は上海音楽専科学校の劉雪庵が卒業パーティ用に作ったタンゴ風のダンス曲であった。作詞も作曲も、日中戦争を意識したものではない。時代が、この歌を、二〇世紀中国最大のヒット曲の一つに押し上げた。

で起きた事態は、日本による中国侵略の本質を端的に示す出来事として、今後も長く語り継がれていくであろう。われわれもまたそれに真摯《しんし》に向きあっていくことが求められる。

山城重慶と世界

首都南京の陥落は、中国にとって大きな痛手であった。しかし、国民党政権は首都機能を内陸の大都市武漢へ、そして重慶へと移しながら抵抗を続ける。首都をはじめ主要都市を失ったとしても広大な中国の国土を背景に長期持久戦にもちこみ日本軍を消耗させるという戦略は、以前から示されていた方針であった。蒋介石は一九三四年の段階で、将来日本軍が攻撃してきた場合「たとえ首都を占領したとしても、中国の死命を制することはできない」と述べていた。三八年には共産党の毛沢東も「持久戦を論ず」を発表し、遊撃戦で日本軍を消耗させ、最終的に国際的な圧力によって日本軍を屈服させるという見通しを示した。

これに対し日本は中国の抗戦力と長期持久戦略を軽視し、せいぜい数ヵ月で中国軍主力を殲滅《せんめつ》し、国民政府を屈服させることができるとみなしていた。武漢・広州占領までの日本軍の攻勢は、短期決戦を想定した当初の構想の失敗を根本的に見直す余裕を失わせた。各作戦に兵力を逐次投入し、中国の各都市を占領して一時の「勝利」を喜びながら、戦争全体は実は泥沼にはまり込むという結果を招いたのである。

中国が日本の侵略に対し抵抗していく上で、一つの画期になったのは一九三八年三月二九日から四月一日まで武漢で開かれた国民党臨時全国代表大会である。新たに設置された国民党総裁に蒋介石が選出され、蒋介石を中心とする指導体制が強化されるとともに、「抗戦建国綱領」が採択され、対日抗戦と国家建設を並行して行うこと、民衆の動員をはかること、言論・出版・集会・結社の自由を保障すること、戦時議会となる国民参政会を招集すること、などが決まった(世史⑩195)。国民参政会の参政員には毛沢東など七人の共産党員も入り、共産党は武漢や重慶で公然と事務所をかまえ、新聞や雑誌を発行できるようになった。共産党の根拠地に成立した辺区政権に対し、国民政府から財政的な援助も実施された。国民参政会にはまた青年党・国家社会党など小党派の代表も加わっている。こうして中国では、さまざまな政治勢力が共同で国政を論じ、日本の侵略に共同で対処する体制が築かれた。三九年九月の第四回国民参政会では、国民大会を開いて憲法を制定し憲政を実行する提案が通過し、同年一〇月には青年党・国家社会党・救国会・職業教育社などが統一建国同志会(四一年三月、民主政団同盟に改組)を結成している。その後、西南の各都市で憲政の実現を求める運動が広がった。

重慶を戦時の首都として抗日戦争を続けるため、国民政府は奥地(内陸部)の経済開発を推進する必要があった。そこで重要な役割を果たしたのが政府直属の資源委員会である。資源委員会の下、四川省、貴州省、雲南省などで国営の機械工業、石炭石油産業、電力産業などが展開され、軍需と戦時経済を支えた。タングステン、アンチモニーなど戦略物資の輸出が推し進められ、それと交換する形で工業設備が輸入された。また、上海などの沿海部から奥地へ移転した工場もあった。しかし中国経済の中心であった沿海部を失った奥地の国民政府支配地域では、商品が不足し物価が高騰して給与生活者の生活を圧迫した。政府の財源として、農民から徴収する土地税に依存する割合が大きくなったことから、農民の不満も増大した。戦争の長期化は、中国経済にとっても大きな負担であった。

そうした中国の抗日戦争を支えた要因の一つは、国際的な支援であった。すでにソ連との間では一九三七年八月二一日に中ソ不可侵条約が締結され、ソ連は借款の供与、武器の提供、空軍パイロットと軍事顧問の派遣などさまざまな形で中国の抗戦を援助した。米英などの対中支援が少なかった抗戦当初、ソ連の援助は中国にとって大きな意味を持つものであった。先に触れた世界平和連合も、三八年二月にロンドンで反日援華特別会議を挙行し、二一ヵ国二五団体の代表八〇〇人が参加している。中国からは抗日団体の関係者に加え、国民政府の駐英大使と駐仏大使も出席し、日本の侵略の不当性と中国への支援を訴えた（土田編二〇〇七）。その後、日本による上海、武漢、広州などの都市無差別爆撃が世界に衝撃を与えたことから、やはり世界平和連合の主催で同年七月に無防備都市爆撃反対・平和回復国際大会が開かれた。

一九三九年九月の第二次世界大戦勃発以降、対ドイツ戦争に備えることになったソ連から中国への援助は急速に減少する。それにかわって対中援助の主役に躍り出たのは、イギリスであり、アメリカであった。奥地の軍需と財政を支え法幣の通貨価値を維持するため、三九年以降、米英両国から巨額の借款が供与され、やがて英領ビルマを経由するルートなどを通じ軍需物資の援助も行われるようになった。

五、真珠湾―香港―マレー半島

一九四一年一二月八日（日本時間）、日本軍はアジア・太平洋各地で米英両軍を攻撃し、戦闘状態に入った。ハワイの真珠湾だけではない。英領香港、英領マレー、米国の委任統治下にあったフィリピンなど、アジア・太平洋の全域で戦闘は開始された。日中戦争が四年前から続いていたにもかかわらず、なぜ日本は英米とも戦争を開始したのか。その最大の理由は、日中戦争の長期化と当時の国際情勢の展開に求められる。

長引く日中戦争と日ソ間の軍事衝突

武漢と広州が日本軍によって占領された後、蒋介石は、一九三八年一一月、今後、中国軍は持久戦を続け、いずれ守勢から攻勢に転じると述べた。実際、華中と華南の大都市を占領し動員力が限界に達した日本軍は、それまでのような大規模な作戦を行うことが難しくなった。そこで中国の抗戦意欲を挫くため、一九三九年から四〇年を中心に戦時首都である四川省重慶への無差別爆撃が行われた。これによって二万人近い犠牲者が出たが、中国の抗戦の意志を挫くことはできなかった。華中の内陸部では、三九年三月に江西省の省都南昌への、また九月には湖南省の省都長沙への作戦を発動したが、中国軍の頑強な抵抗にあい目的を果たせなかった。華南では、中国への物資供給路線（援蒋ルート）を遮断するため、広西省の南寧を攻略する作戦を展開したが、ここでも中国軍の反撃にあった。華北では共産党の八路軍が一九四〇年八月から秋にかけ四〇万人の兵力を動員して日本軍を攻撃し、大きな被害を与えた。[9]

一方、モンゴルの草原では、一九三九年五月から日ソ両軍の大規模な軍事衝突が起きていた。日本がつくった満洲国とモンゴル人民共和国の間の国境紛争に端を発し、満洲国軍・日本軍側とモンゴル軍・ソ連軍側とが互いに戦車部隊まで動員し四カ月も戦火を交えた大規模な衝突であり、モンゴルとロシアではハルハ河戦争と呼ばれる（世史⑩196、当時の日本の呼称はノモンハン事件）。日本、ロシア、モンゴルの研究者が進めた共同研究によれば、双方あわせて一三万人以上の兵力と一〇〇〇台以上の戦車および装甲車、戦闘機が動員され、双方の戦死者は約二万七〇〇〇人に達した（ボルジギン・フスレ二〇二〇）。国境紛争がこれほど拡大した要因は、日本軍の「満ソ国境紛争処理要綱」にあった。要綱は「国境線明確ならざる地域に於ては防衛司令官に於て自主的に国境線を認定」することを許し、相手部隊を急襲するため一時的に国境を越えることも認めるなど、紛争を増やし武力行使を助長する方針になっていた。

日ソ間の軍事衝突は、双方の国際戦略にも大きな影響を及ぼした。甚大な損失に驚愕した日本は、ソ連軍を強敵と認識するようになり、日中戦争が続く間はソ連との戦争を回避するようになった。一方、モンゴルにとっては社会全体に対する統制が強まる契機となり、ソ連では一段と軍需産業に傾斜した経済運営が推進されるとともに、可能な限りドイツや日本との武力衝突を遅らせる外交がめざされるようになった。そして、ハルハ河戦争が続いていた一九三九年八月二三日、ソ連は、ドイツとの関係悪化にひとまず休止符を打ち、独ソ不可侵条約を締結した。

ドイツのポーランド侵攻と日独伊三国軍事同盟

独ソ不可侵条約によりソ連との軍事対決を回避できることになったドイツは、条約締結直後にあたる一九三九年九月一日、ポーランドに侵攻した。これに対し英仏がドイツに宣戦を布告した結果、第二次世界大戦が始まった。ただし、この時点では米ソ両国とも参戦していないし、日本も関係していない。ヨーロッパの戦局は、当初、航空機と戦車を大量に投入するドイツに有利に展開し、オランダは一週間たらずで、フランスでさえも五週間あまりで敗れ去った。それは日本にとっては、フランス領インドシナ（現在のベトナム、ラオス、カンボジア）やオランダ領東インド（現インドネシア）が日本と同盟関係にあるドイツの影響下に置かれたことを意味し、英米の中国への物資供給路線（援蒋ルート）を遮断し、日中戦争の局面打開を図るうえで、極めて有利な国際情勢が生まれたことになる。そうした情勢認識の下、中国では新たな対日協力政権を樹立する動きが本格化した。四〇年三月、日本軍占領下の南京に、国民党の幹部であった汪精衛、陳公博らにより「国民政府」を名のる政権が設立される（世史⑩198）。汪政権は、それまで日本軍占領地域にあった弱体な対日協力政権とは異なり、ある程度まで実質的な統治機構を整えた政権になった。汪政権は、対日協力を掲げつつ、教育、経済などの面で中国側の立場を擁護しようとし、日本側には、占領地統治と戦争継続に向け、中国側の協力を引き出す思惑があった。

しかし、日本が汪政権に認めた権限は僅かにとどまり、結局、この政権が中国の多くの人々に支持されることはなかった。他方、英米による中国支援が強化されたこともあり、重慶国民政府（蒋介石政権）の動揺は抑えられた。一九四一年一月、軍の移動をめぐる紛糾をきっかけに国民政府の軍隊と共産党の軍隊が衝突する「新四軍」事件が勃発した時も、抗日のためのの協力を求める国内世論の下、対立の激化は回避された。中国の抗戦継続を期待していたソ連も、中国共産党へ蒋介石政権に従うことを指示している。こうして中国の抗戦体制は、国民の支持と米英ソの支援によって支えられ、日本の中国侵略は手詰まり状態に陥っていった。日本は、独伊両国と連携し日中戦争の局面打開を図る狙いを込め、一九四〇年九月、日独伊三国軍事同盟を締結する。この段階で日独伊三国の提携は、アメリカを仮想敵国とする軍事同盟へと変化した（世史⑩209）。日本は独軍占領下のフランスに成立したビシー政権と交渉し、仏領インドシナ（仏印）に兵を進める。仏印ルートといわれた中国支援の輸送路を遮断し、中国を追い詰めることが大きな狙いであった。

一方、この時期、日独伊三国に反撃する態勢も整えられつつあった。一九四一年八月一四日、米大統領ローズヴェルトと英首相チャーチルの共同宣言として発表された大西洋憲章は、領土不拡大、民族自決、民主主義、自由貿易、経済協力、平和などを、世界の未来への原則とした（世史⑩213）。これは四二年一月の連合国共同宣言に引き継がれ、第二次世界大戦における連合国の共同の戦争目的となる。こうした流れを背に、アメリカは、石油禁輸という圧力までかけ日本軍の中国撤兵を求め続けた。四一年四月から始まった日米交渉は、日本が中国侵略を続ける限り、妥結の余地が乏しいものであった。日中戦争終結の見通しが立たず、対米交渉も行き詰まる中、ついに日本は、一一月五日、天皇が加わった御前会議で「帝国国策遂行要領」を決め、米英両国にも戦争をしかけ、難局の打開を図ることにした。「武力発動の時期を一二月初旬と定め、陸海軍は作戦準備を完整す」との決定に基づき、陸海軍はただちに開戦の準備にとりかかった。

なおこの時期、日本はソ連にも急接近し、一九四一年四月に日ソ中立条約を締結している（世史⑩199）。日ソ両国とも、いわば背後の安全を確保するための条約であった。ソ連にとっての正面はヨーロッパであり、日本にとっての正面はアジア・太平洋である。ソ連は、イギリス制圧に失敗したドイツが東に矛先を変えることを警戒していた。果たして一九四一年六月、ドイツ軍のソ連侵攻が始まった（世史⑩212）。一方、日本は、ソ連に対する備えを日中戦争の継続と対米英戦に振り向けることが可能になった。

アジア全域で攻撃を始めた日本

アジア太平洋戦争は、日本時間の一九四一年一二月八日、周到に準備を進めていた日本軍が、アジア全域で米英両軍を奇襲攻撃して始まった[10]。奇襲を成功させるため、宣戦布告も意図的に遅らされていた（吉田二〇〇七）。アメリカ太平洋艦隊の基地が置かれていたハワイの真珠湾には、現地時間の日曜日（一二月七日）早朝、日本海軍の艦載機が攻撃を加えた。不意を突かれたアメリカ側では二〇〇〇人以上の軍人・民間人が犠牲となり、卑劣な日本に報復すべきだとして、一挙に参戦を支持する世論が高まった。アメリカ議会は、一二月一一日、対日宣戦布告を採択する。それまでアメリカ国内では孤立主義的な傾向が強く、英・中・ソなどに武器は支援していたとはいえ、部隊は派遣していなかった。

アメリカの委任統治領フィリピンの空軍基地に対しても、一二月八日に爆撃が行われ、同月二二日には日本陸軍が上陸して首都マニラの占領をめざした（翌年一月二日占領）。

一方、一二月八日未明、英領マレー半島のコタバルにも日本陸軍が上陸し、シンガポール占領をめざして南下を始めた。これを阻もうとシンガポールから出動したイギリス極東艦隊の主力艦二隻は、同月一〇日、仏印から飛び立った日本陸軍機によって撃沈されている。日本の英領マレーへの奇襲攻撃は、タイを複雑な状況に追い込み、タイ軍にも犠牲者を出すことになった。マレー侵攻のため、日本軍は、元来、比較的に関係がよかったタイを通過し大軍を送り込む作戦を練っていた。しかし、タイ側の了承を得る前に日本軍が行動を開始したことから、日本軍とタイ軍の間に武力衝突が発生し、タイ側に二〇〇人以上の犠牲者がでた。

中国にいた日本軍は、英米側の活動拠点になっていた上海の租界を開戦当日に接収し、一二月二五日には、戦闘の末、英領香港を占領した。香港防衛にあたったカナダ軍将兵は捕虜にされた。また翌年、日本軍は英領ビルマ（現在のミャンマー）への進攻作戦を実行した。日本軍は五月にビルマ北部を占領し、中国への支援ルートを封鎖した。

しかし、日本軍の攻勢が続いたのは、半年ほどであった。一九四二年六月、太平洋上のミッドウェイ海戦で四隻の空母を失い、海上の航空戦力に大打撃を喫した日本は、アメリカに比べ軍需生産に圧倒的な格差があったこともあり、急速に守勢に追い込まれていった。

ヨーロッパ戦線でも、一九四一年一二月、モスクワまで攻め込まれていたソ連軍が反撃に転じ、ドイツ軍を押し戻し始めていた。ソ連はドイツの戦車や航空機に匹敵する兵器を大量に生産して装備を整えるとともに、祖国愛に燃えた民衆の支持を受けた。四三年九月になるとイタリア軍が無条件降伏した。そして四四年六月に米英軍がノルマンディー上陸に成功して以降、ドイツ軍の劣勢は決定的なものとなった。一九四五年五月、ドイツ軍も連合国に無条件降伏する。

熱狂する日本国民と勝利を確信した中国、独立をめざすアジア

日本国民の多くは、一二月八日から暫くの間、緒戦の勝利を伝えるニュースに熱狂した。日中戦争の長期化に困惑と焦慮の思いを募らせ、アメリカの対日政策に苛立ちを強めていた人々は、行きづまっていた状況を一挙に打開する方策として、アジア太平洋戦争の勃発を熱狂的に支持した（吉田二〇〇七）。

それに対し、冷静に情勢をみていた中国は、最終的な勝利への確信を深めた。アジア太平洋戦争が始まると、九日、国民政府は日本・ドイツ・イタリアに対し正式に宣戦を布告した。日本が米英に宣戦布告し、ドイツとイタリアもアメリカと戦争状態に入ることによって、かたや日独伊の三国同盟締約国とそれへの参加国、かたや米英ソを中心とする連合国、という世界大戦の布陣ができあがっていた。そこに中国も連合国の一員として加わったことになる。一九四二年一月一日、ワシントンで米英ソ中を含む二六ヵ国の代表によって署名された連合国共同宣言は、「生命、自由、独立、宗教的自由を守るために、また自国及び他国における人権と正義を維持するために」共同で戦うことを宣言した（世史⑩２１４）。こうして中国の抗日戦争はアジア太平洋戦争の一部となり、第二次世界大戦の帰趨を決する重要な場になった。

アジア太平洋戦争の開始以降、日本は、中国戦線での局面打開も企図し、一九四二年九月、重慶攻略作戦の準備に着手したが、太平洋のガダルカナル島での戦局悪化のため、結局、作戦中止を発令せざるをえな

かった。その後、四四年四月から、日本軍は、華北から華中、華南まで占領地を南北につなげ、桂林・柳州などの中国の空軍基地を壊滅させる一号作戦（大陸打通作戦、中国名「豫湘桂戦役」）を展開した。この作戦は、太平洋上の航空母艦から飛び立ち日本本土を空襲する米軍の爆撃機が中国の空軍基地に着陸するルートをとっていたため、それを阻むことも狙ったものであり、約一六個師団五一万人を動員した日中戦争を通じて日本軍最大の作戦であった。日本軍は六月一八日に湖南省の長沙を、一一月一〇日には広西省の桂林を占領し、中国軍に相当の打撃を与えた。しかし戦線を伸ばした日本軍の勝利は長続きせず、空軍基地も四五年五月までにほとんどすべてが中国軍に奪回された。この時期、米軍の支援で訓練された中国軍新鋭部隊は、英領インドから日本軍占領下の英領ビルマ（現ミャンマー）北部へ進撃し、四四年七月にフーコン溪谷を制圧するなど日本軍を押し返している。

一方、列強の植民地にされていた東南アジア諸地域では、日本軍の侵攻を好機と捉え、独立をめざす動きが広がっていた。日本軍が占領したオランダ領東インド（現インドネシア）では、一九四三年三月、日本の占領地統治に協力する民族団体として、スカルノらを中心に民衆総力結集運動プートラが設立された。同年一〇月以降は郷土防衛義勇軍の組織化が進み、大戦終結時には五万人に達した。四五年八月、大戦終結直後にインドネシアが独立を宣言したのに対し、四八年一二月、植民地統治の再建を狙うオランダは軍隊の力で独立を阻止しようとした（世史⑩227）。インドネシアは、かつての郷土防衛義勇軍を基礎に戦いを続け、四九年一二月、完全な独立を達成することができた。

日本軍が進駐したフランス領インドシナでも、対日協力と反仏を掲げて独立をめざしたカオダイ教、復《フク》国《クオク》党などがベトナム南部で活動を強め、日本軍の仏印武力処理（三・九クーデタ）[11]の後、阮朝を継承するバオダイ帝の政府が一九四五年三月に中部の旧都フエに設立されている。そして大戦終結直後の四五年八月、反日反仏を掲げるベトナム独立同盟（ベトミン）の主導下、北部のハノイにベトナム民主共和国が樹立され全国を統治する存在となった（世史⑩228）。国家主席にはホー・チ・ミンが就任し、バオダイ政権も一度はこれに吸収される。しかし植民地統治の再建を夢みたフランスは、四六年一二月以降、ベトナム民主共和国と激しい戦争を繰り広げた。その過程で四八年五月にバオダイ政権が再び姿を現し、五五年一二月には南部のサイゴンを首都とするベトナム共和国（南ベトナム）が設立された。その間、ベトナム民主共和国（北ベトナム）は、中国の支援も受けながらインドシナ戦争を戦い抜き、ついに五四年七月、ジュネーブ協定によってフランス軍を完全に撤退させ、独立を国際的に承認させることに成功した。

日本軍が占領した英領ビルマ（現ミャンマー）では、当初、日本に協力しての独立をめざし、一九四二年八月にバ・モーを国家主席に、アウン・サンを国防相とする中央行政府が成立し、四三年八月には独立が宣言された[12]。しかし、日本軍のビルマ統治方針との調整が進まず、大戦末期の四五年三月にはアウン・サンを指導者とするビルマ国民軍の反乱が起き、最終的には四八年一月に独立を達成している（世史⑩236）。

以上に述べたのは、日本軍の侵攻によって従来の植民地権力が倒壊した後、各地の民族運動が主体的に独立をめざした地域であり、戦後、植民地統治の復活を試みたオランダやフランスとの間で武力闘争も展開された。それに対し民族運動の主力が米英軍と協力していた地域では、戦後、交渉を通じ独立を達成している。フィリピンは一九四六年七月にアメリカからの独立を実現し、英領マレーでは四八年にマラヤ連邦が成立し、五七年八月に独立国となった。但し、その過程には複雑なものがあり、フィリピンの抗日運動をリードしていた共産党系のフクバラハップや英領マレーで活動していたマラヤ共産党（華人中心）系の抗日人民軍は、独立後の政権から排斥され、弾圧された。さらにマラヤ連邦の独立後、華人が多数派になることを恐れた英米の画策でボルネオ島の英領を含めたマレーシアが六三年九月に設立されるのに対し、その経済的中心であるシンガポールのリー・クアンユーらは、マレーシアで採用されたマレー人第一主義に反発し、六五年八月、分離独立の道を選んでいる。

アジア太平洋戦争当時、東南アジア唯一の独立国であったタイは、日本軍の展開と連合軍の反攻を前に微妙な二重外交を進め、独立を維持した。一九四一年一二月、日本タイ攻守同盟に基づき、英米に対し宣戦布告する一方、四三年二月からは自由タイ運動を、事実上、政府の後援下で組織し、抗日運動を展開している。

そして戦後中国では、抗日戦争に勝利した国民党政権が、戦後わずか四年で倒壊し、共産党政権が成立するという大変動が起きた（第三章四参照）。

ゲルニカ―重慶―ヒロシマ

第二次世界大戦では、第一次世界大戦の五倍近い五四〇〇万人という膨大な犠牲者が出た。その最大の理由は、総力戦が徹底的に追求されたことにある。対戦国の生産基盤に対する大量・無差別攻撃という発想の下、空爆にもそれが適用された。それが無差別都市爆撃であり、戦略爆撃とも呼ばれる。軍隊も民間人も無差別に攻撃し、基地も、工場も、住宅も、交通通信施設なども、要するに都市全体を徹底的に破壊し、住民に恐怖を与え、敵に打撃を与えるという戦略であった。

それは、一九三七年、スペインの古都ゲルニカでドイツ空軍によって初めて実行され、その後、一九三九―四〇年を中心に中国の臨時首都重慶に対し日本軍によって実行された。それ以降、ヨーロッパでもアジア

無差別爆撃に抗議し、ピカソが描いたゲルニカ

でも大規模な戦略爆撃が行われ、その行きついた先に東京大空襲があり、広島・長崎への原爆投下があった。

ゲルニカ爆撃は、大戦前夜のスペインで、フランコ将軍らが人民戦線政府に対し反乱を起こし、それをドイツとイタリアが支援する中で起きた（本章三参照）。劣勢挽回を策した反乱軍が北方から政府支配地域に侵攻した際、ドイツ軍は鉱産資源の獲得という狙いもこめ空爆で支援した。住民約五〇〇〇人が住んでいたバスク地方の古都ゲルニカは、一九三七年四月二六日、二五〇キロ爆弾と焼夷弾を積んだドイツ空軍三編隊による無差別爆撃を受ける。市街地の二五％の建物が被害を受け、火災によって七〇％が炎上した。惨状は世界に伝えられ、人々に衝撃を与えた（荒井一九九一）。パリにいた画家ピカソは、故郷を襲った悲劇を壁画「ゲルニカ」に描き、当時、開かれていたパリ万博のスペイン館に掲げて無差別爆撃を告発した。

一方、重慶爆撃は、中国の頑強な抗戦に直面していた日本軍が、主に一九三九年から四一年にかけ臨時首都重慶に行った都市無差別爆撃である。内陸の四川省重慶まで日本軍が陸上ルートで攻め入るのは、もはや不可能になっていた。そこで日本軍は、年に一一二日間七二回実施（一九四〇年）という規模で無差別爆撃を繰り返し、「敵国民ノ戦意ヲ挫

日本軍の重慶爆撃

折」させようとした。爆撃機護衛のため新鋭戦闘機の零戦も投入された。重慶爆撃の犠牲者は、周辺地域を含め死者一万九二〇八人、負傷者二万一八七六人に達する（潘二〇一六）。これに対し中国は、ソ連やアメリカの支援も受け防空戦を展開した。山間部で霧の多い重慶での目視爆撃には限界もあり、結局、日本軍は、中国の抗戦の意志を挫くことはできなかった。

その後、第二次世界大戦の展開につれ、ヨーロッパでも、アジアでも、都市無差別爆撃が行われるようになった。ドイツ軍によるロンドン空襲、イギリス軍によるドイツ諸都市への空襲、アメリカ軍による日本の諸都市への空襲など、枚挙に暇がない。一九四五年三月一〇日の東京大空襲による一〇万人を超える死者をはじめ、世界各地で一般市民の犠牲者の数は膨大な数にのぼった。そして、その究極に起きたのが、広島と長崎に対する原子爆弾投下である（前田一九八八）。

アメリカは、日米戦が始まる直前から原爆開発にのりだし、二〇億ドルを超える資金と五〇万人以上を動員して、イギリスの協力も得ながら、ひそかに原爆開発を進めていた（山崎・日野川編著一九九七）。「マンハッタン計画」と呼ばれる。そして、開発に見通しがついた一九四五年春以降になると、米兵の犠牲を最小限に抑え、アメリカの主導下で対日戦を早く終結させるため、原爆の使用を視野に入れるようになった。七月二日にスチムソン陸軍長官がまとめた対日警告案は、日本が降伏を拒み戦い続ける場合、連合国は圧倒的な武力を行使することになり、その場合、「壊滅は必至であり、全面的なものになる」ことを警告するというものであった。初の原爆実験に成功した翌日の七月一六日、スチムソンは、さらに明確に、日本が降伏を受諾しないならば「新たな兵器の全威力を浴びせるべきだ」とトルーマン大統領に進言した。そして連合国が七月二五日に発したポツダム宣言の受諾を日本政府が躊躇していた時、八月六日に広島で、ついで九日に長崎で、原子爆弾が炸裂した（世史⑩２４７）。

広島原爆投下機 B52 エノラ・ゲイ

日本敗戦への道

すでに述べたように、一九四二年後半以降、日本軍は中国戦線で全く勝利を展望できない状態に陥り、太平洋上では急速に劣勢に追い込まれた。四三年九月にはイタリアが、ついで四五年五月にはドイツが降伏し、日本は孤立無援に陥った。四五年二月、クリミア半島のヤルタで米英ソ三国首脳会議が開かれ、ドイツ降伏の三ヵ月後にソ連が日本に参戦することも決まり、日本の敗北は必至となった。ヤルタ会談ではソ連の対日参戦の代償として、外モンゴルの現状維持、サハリン南部のソ連への返還などとならんで大連・旅順に対するソ連の権益保障、中東鉄道・満鉄線の中ソ合弁とソ連の特殊権益の保障などが秘密裏に取り決められた。

ドイツが降伏した一九四五年五月以降、アメリカは、ヤルタで約束されていたソ連の対日参戦を前に、戦後世界秩序の形成を見据え、アメリカ自

エノラ・ゲイ展示と原爆投下責任

正義の戦争であれば全て許されるか——原爆を投下したB29爆撃機の展示をめぐり、戦後五〇周年を控えた一九九四年、アメリカは揺れた（エンゲルハートほか一九九八）。

アメリカのワシントンにあるスミソニアン博物館の一角を占める国立航空宇宙博物館NASMは、一九八八年から広島原爆投下機B29エノラ・ゲイ（機長の母親の名から採った愛称）を展示する計画の検討を続けていた。そして一九九四年一月、次の五つの内容からなる第一次案をつくり、関係者への説明に着手する。それは、①大戦終結への戦い、②原爆投下の決断（反対論の存在、ソ連牽制論にも触れながら説明）、③原爆輸送、④爆心地（持ち主もpわからない熔けた腕時計、犠牲となった女学生の名が刻まれた黒焦げの弁当箱、衣服、などの実物展示を含めたもの）、⑤広島と長崎の遺産、というものであった。しかし、これに強い異論が出され、国内世論を二分する議論が巻き起こる。

九四年四月、最初に反対の声をあげたのは空軍の退役軍人でつくる空軍協会で、「日本人に同情的であり、アメリカ人に厳しすぎる」、「原爆投下で大戦が終結し、多くの人命を救ったことが強調されるべきである」、「犠牲者となった女学生が残した黒焦げの弁当箱は、あまりに感情に訴えすぎる」といった意見を表明した。その後、マスコミで大論争が引き起こされ、五月には最初の修正案が提示された。修正案は、宣戦布告がなかった真珠湾攻撃、捕虜に対する不当な虐待行為など、日本の侵略を批判する展示を加えるというものである。それでも展示案を批判する声が収まらなかったことから、一〇月になると、いっそう大きな修正案が示された。それは原爆投下に関わる文書史料を大幅に削減するとともに、爆心地の情景に関する展示を簡略化する、というものであった。

しかし、これに対しては、一一月にアメリカの歴史学者たちから強い反論が発せられた。一〇月の大幅修正案では「歴史学の研究成果を反映しないことになる」、「かえってバランスに欠ける」という批判である。

こうして議論が重ねられた末、ついに博物館側は、一九九五年一月、展示計画を中止することを発表した。二〇〇三年以降、エノラ・ゲイ機は、ワシントン郊外にあるスミソニアン航空宇宙博物館別館スティーブン・F・ウドヴァーヘイジー・センターに、詳しい説明を何も付さずに展示されている。博物館にとって、退役軍人の集まりである空軍協会は、館の運営を財政的に支える大切な存在である。そのことも考慮せざるを得なかったであろう。原爆投下をどう見るかは、戦後五〇年を経た一九九五年の時点でも、そして今もなお、微妙な問題であり続けている。

エノラ・ゲイ展示をめぐり全米が揺れた約二〇年後、二〇一六年五月にはオバマ米大統領が、現職の大統領としては初めて広島を訪れ、「私たちは戦争の苦しみを経験しました。共に，平和を広め核兵器のない世界を追求する勇気を持ちましょう」と記帳した。原爆投下が誤りであった、とも、それが正当なものであった、とも記していない。日本の先制攻撃に反撃し、日本の侵略に抵抗する中国を助け、正義の戦争を戦ったことを誇るアメリカですら、原爆を投下したことの是非については、広島を訪れた大統領が今なお明言し得ないほどの惨劇が、原爆のもたらしたものであった。そうした世界大戦を引き起こした日本としても、自らの戦争責任を常に意識し、歴史に向き合っていくことが求められる。

身が主導して対日戦を終結させることを急ぐようになった。それは、立憲君主制という形で天皇制の存続を認め、無条件降伏条項の内容を緩和するとともに、原爆という圧倒的な軍事力を見せつけるという方策である。

そして原爆が炸裂した後の一九四五年八月一五日、昭和天皇の放送により日本のポツダム宣言受諾が発表され、約八年続いた抗日戦争はようやく終わることとなった。中国では日本政府が条件付きながらポツダム宣言受諾を連合国に通告した八月一〇日に、国民に戦勝の知らせが伝えられた。九月九日、南京で中国戦区における日本軍の降伏文書調印式が行われた。

六、日本の戦争責任と戦後補償

戦後七〇周年の二〇一五年八月一五日、時の安倍晋三首相が発表した談話は、戦前の日本は「進むべき針路を誤り、戦争への道を進んで行きました」と他人事のように述べるのみで、侵略戦争を起こした責任には何も言及しなかった。一方、ドイツの敗戦四〇周年にあたる一九八五年五月八日、国会で演説したヴァイツゼッカー大統領は、その日をドイツ人が「心に刻む日」とし、ナチスの犠牲となったユダヤ系の人々、ロシア人、ポーランド人、シンティ・ロマ、ドイツ国内でナチスに抵抗したグループなどの名を列挙して追悼し、「過去に目を閉ざす者は、結局のところ現在にも目を閉じることになる」と述べた。

彼我の違いは大きい。日本の戦争責任を曖昧にする傾向は、国民の間に広く存在する意識を反映しており、そうであるがゆえに繰り返されてきた。なぜか。ここでは、戦争犯罪を裁いた国際裁判の意味と限界、敗戦直後に流された戦争責任否定論、日本人の戦争体験などに触れ、戦後補償をめぐる事実もまとめる。

裁かれた戦争犯罪——ニュルンベルク裁判と東京裁判

戦争を国際法に反する行為とし、侵略戦争を始めた国に戦争責任を問い、戦後補償を求める思想（第一章四参照）は、第一次世界大戦後に生まれ、第二次世界大戦以降にも引き継がれた。国際社会は、大戦中から戦後を見据えた準備にとりかかっていた。その最大の課題は、第二次世界大戦の勃発を防げなかった国際連盟に代わって平和維持のため格段に強い権限を持つ国際組織を設立することであり、一九四五年一〇月二四日、国際連合が正式に発足した（世史⑪2）。それとともに重視されたのは、侵略戦争を起こしたものを国際的な司法の場で裁くことであった。ドイツの戦争指導者に対するニュルンベルク裁判と日本の戦争指導者に対する東京裁判がそれである。この種の国際裁判は、第一次世界大戦後にも試みられたとはいえ、ほとんど実質的な意味を持たずに終わっていた（第一章四参照）。

ニュルンベルク国際軍事裁判は、ナチス指導者が犯した平和に対する罪、人道に対する罪、通常の戦争犯罪、そしてそれらを犯そうとする共同謀議の四つの罪を裁くため、米・英・ソ・仏の四ヵ国が一九四五年八月八日に取り決めた国際軍事裁判所設置協定に基づき、同年一一月二〇日、ドイツのニュルンベルクで開廷した（世史⑪4）。裁判は、延べ四〇三回の公開法廷を通じてナチス・ドイツの侵略と残虐行為を告発し、絞首刑一一人、禁固刑七人、無罪三人の判決を下し、一九四六年一〇月一日、幕を閉じた。平和に対する罪とは侵略戦争を許さぬことを意味し、人道に対する罪には数百万人のユダヤ系市民を虐殺したホロコーストと呼ばれる行為も含まれる。さらに一九四八年には、開戦前にドイツ国内で行われたユダヤ系市民への迫害などニュ

東京裁判（極東国際軍事裁判）

ルンベルク裁判の訴追事項からは除外された犯罪も裁くため、「集団殺害罪の予防と処罰に関する条約」（ジェノサイド条約）が国際連合総会で採択された（石田・武内編二〇一一）。

東京裁判（正式名は「極東国際軍事裁判」）もこうした流れの中で一九四六年五月三日から開かれたもので、ニュルンベルク裁判を参照し連合軍総司令部が決めた条例に基づき、米・英・中・ソ・仏・蘭・カナダ・オーストラリア・ニュージーランド・フィリピン・インドの一一カ国が参加し、日本の戦争指導者（A級戦犯）の平和に対する罪などを裁いた（世史⑪5）。四八年一一月一二日に下された判決では、A級戦犯三八人の内、東条英機・広田弘毅・板垣征四郎・土肥原賢二ら七人が死刑、一六人が終身禁固とされた。残りのメンバーは、冷戦が進む中、裁判もないまま釈放されている。戦争指導者以外のBC級戦犯については、米・英・中・仏・蘭・オーストラリア・フィリピンの各国が独自に裁判を開き判決を下した（林二〇〇五）。B級戦犯は戦争法規違反など通常の「戦争犯罪」を犯した者、C級戦犯は捕虜虐待など「人道に対する罪」で訴えられた者で、総計二〇〇〇件以上にのぼった。

東京裁判によって、日本の戦争犯罪が日本国民を含む全世界の人々に明らかにされた意味は大きい。日中戦争の時に起きた南京事件なども、国民は東京裁判によって初めて知った。ただし東京裁判には、容疑者の逮捕から戦争犯罪の概念構成、判事・検事の任命にいたるまで、全てがアメリカの政策判断に沿って進んだという偏りがあった。これは四ヵ国の協定に基づいて行われたニュルンベルク裁判と大きく異なる。そのため、アメリカの戦後対日政策に沿って、天皇及び旧政府内穏健派を免責する一方、東条英機ら旧陸軍首脳に戦争責任を集中させる構図が描き出され、国民の間に「軍部独走」論を広める結果も招いた。オーストラリアは天皇の訴追を主張したし、アメリカの国内世論の中にも天皇訴追の強い主張があった。しかし、アメリカは天皇免責論を採用し、最終的には中国やソ連もそれに同調した。さらに留意されるべき点は、アジア各国の発言力が極めて弱かったことである。侵略で最も大きな被害を受けた中国の場合、国民党政権の崩壊過程に重なったため、東京裁判に加わった中国の検察陣は十分な力を発揮できなかった。フィリピンとインドは独立を果たしたばかりであったし、東南アジア諸国の多くは独立への歩みを進めている最中であった。

裁判の展開の背後には、旧政府内穏健派の協力を得て証拠を収集しようとした事情も影響していた。占領軍到着までに旧軍及び旧政府の関係者は大量の機密文書を廃棄し、戦争犯罪に関わる証拠の隠滅に奔走した。そこで裁判を成り立たせる証拠を集めるには、穏健派の協力が不可欠とされた。そうした事情を、木戸幸一内大臣、吉田茂外相、田中隆吉旧陸軍省兵務局長など旧政府内の穏健派は、意図的に利用した。

ニュルンベルク裁判と東京裁判には、戦勝国が敗戦国を裁く一方的な裁判という批判が当時からあった。しかし、そうした様々な問題を含みつつも、二つの国際裁判を通じて日独両国の戦争犯罪が明らかにされ、戦争責任を問い、平和をめざす努力が積み重ねられた意味は極めて大きかった（大沼一九九七）。

日本の戦争無責任論の起源──敗戦直後

一方、日本国内では、敗戦直後から、政府と天皇が戦争責任を回避する議論を展開した。例えば、一九四五年一一月五日、幣原喜重郎内閣は「大東亜戦争は帝国が四囲の情勢に鑑み、やむをえざるに出でたもの」と閣議決定した。それに先立つ同年九月二七日、昭和天皇はマッカーサー占領軍司令官に会い、「この戦争については自分としては、極力、之を避けたい考えでありました」と発言した。開戦を決めた人々が真っ先に責任回避に動いたのだから、これは国民の考え方に大きな影響を及ぼした。

なぜ政府や天皇は戦争責任を回避しようとしたか。それは、第一次世界大戦後の国際的な判断基準に照らせば、戦争を始めた国の指導者が責任を問われるのは必至だったからである。政府指導層と天皇自身を含む皇族の身を守るには、戦争責任を否定する必要があった。そうしなければ天皇は戦争犯罪者として処刑される可能性が存在したし、アメリカ、中国、オーストラリアなどでは、天皇＝戦犯論が支持されていた。

国民の多くも「自分たちは暴走する軍部に騙されていた」として、実質的に自らの戦争責任を完全に免除する議論に同調していた。そうした風潮を苦々しい思いで見つめる人がいなかったわけではない。「無法松の一生」の映画監督伊丹万作は、「戦争責任者の問題」（『映画春秋』第一巻第一号、一九四六年八月）でこう嘆じた。「『騙された』という語の持つ便利な効果に溺れて一切の責任から開放された気持ちでいる多くの人々の安易きわまる態度をみる時、私は日本国民の将来に対して暗澹たる不安を感ぜざるを得ない。『騙された』といって平気でいられる国民なら、恐らく今後も何度でも騙されるだろう」。

この時期、占領軍の指揮の下、戦争に責任があった人物を、政府機関、教育機関などの役職から解任する「公職追放」が進められた。しかし、実際に公職を解かれた二一〇万人を越える人々の八割以上は旧軍人であり、一般の官僚、政治家、学者、技術者、教員、実業家などは、そのほとんどが戦争責任を問われなかった。

こうした状況に、前に述べた東京裁判の限界も重なった。

無責任論の背景――戦争体験と戦争認識

戦争に対する責任を自ら負おうとしない日本人が多かったのは、何も日本人が無責任な心性を持っていたからではない。「戦争無責任論」を支えてきた要因は、その戦争認識にあった。

まず第一に、日本人の歪んだ戦争認識には、当時の実際の体験が深く関わっていた。侵略戦争に直接動員され、自ら加害を体験した兵士たちは延べにしても四〇〇万人程度であった。しかも、その中には戦死者がおり、帰国後、戦争体験を周囲に何もしゃべらなかったものも多い。一方、当時、日本本土で暮らしていた数千万人の民衆は、米軍の各地への空襲によって大きな被害が出たことや戦時下の窮乏生活を経て、自らを戦争の悲惨な被害者とみなした反面、自らの国が戦争を引き起こしたという認識は希薄であった（荒井一九九五）。

第二に、不正確な戦況認識が影響した。対米戦と対ソ戦で受けた打撃が強烈な印象を与えた反面、中国やアジアの戦場でも劣勢に陥り敗北したという認識は、多くの日本人の間で欠如していた（吉田一九九五）。これには戦後のアメリカの宣伝も影響している。例えばＧＨＱ（連合軍総司令部）のＣＩＥ（民間情報教育局）は、一九四五年一二月八日から一七日まで日本の主要新聞に「太平洋戦争史」という記事を掲載させた。この連載記事は、軍と政府が隠していた侵略戦争の実態を明らかにし、多くの日本人の目を開いた。だが日米戦争中心の記述によってアメリカの役割を過大に評価する反面、大兵力を動員した日中戦争に関する記述は少なく、アジアにおける侵略行為への言及も少なかった。

さらに第三に注意されるべき点は、戦争に対する見方の問題である。第一次世界大戦の終結後、戦争責任と戦後補償に対する捉え方には世界的に大きな転換が生じ、戦争を起こした者は罰せられる時代が始まっていた（第一章四参照）。しかし国民の多くはそうした変化を十分に自覚せず、戦争を始めた責任を日本が厳しく問われることに鈍感であった。もっとも、それなりに国際感覚を備えていた日本の一部の支配層が自らの戦争責任を逃れようと懸命だったことは、前述したとおりである。

そして第四に、最も重要だったことは、旧支配勢力の協力を得ながら占領統治を進めたアメリカの戦後対日政策である。アメリカは、円滑に日本占領を遂行するため、打撃の的を旧日本軍の一部に絞る一方、それ以外の旧支配勢力からは占領統治への協力を得ようとした。その背景には、東西冷戦が始まる中、アメリカのアジア政策の拠点として日本を安定させる狙いがあった（第三章四参照）。CIE編の「太平洋戦争史」も、天皇と政府内穏健派を戦争への抵抗者として、また国民を軍国主義的指導者の犠牲者として描き出し、悪かったのは独走した陸軍などの軍国主義的指導者だけという偏った見方を助長させる役割を果たした。

アメリカ軍の一部には、戦争に役立つ軍事情報を入手する企図もあった。GHQは、旧陸軍参謀・服部卓四郎らを雇用して「大東亜戦争史」を執筆させ、旧日本軍のアジア侵略の実地体験を系統的に吸収しようとした。また毒ガス細菌戦を展開した七三一部隊の石井部隊長らを免責し、膨大な実験データを入手している。その中には、国際法で禁止され他国では開発できなかった毒ガス兵器に関する情報や他国では人道上とうてい許されない人体実験の結果などが含まれていた。

日本の戦後賠償、戦後補償

日本が実際に行ってきた、あるいは行ってこなかった戦後賠償の事実を確認しておこう。アジア各国に対する賠償には、三つの国際法上の法的根拠があった。一九四五年に日本が受諾したポツダム宣言（世史⑩246）、一九五一年に調印されたサンフランシスコ平和条約、そして日本とアジア各国との間で一九五〇年代から六〇年代にかけ結ばれた二国間条約である。

まず敗戦直後、ポツダム宣言に基づき、日本が国外で所有していた工場、土地、建物などの在外資産が連合国側に引渡された。中国にあった分が二三八六億八七〇〇万円、朝鮮にあった分が七〇二億五六〇〇万円など合計三七九四億九九〇〇万円にのぼる。

ついで、平和条約締結以前に先行実施する賠償として、日本国内の生産設備を撤去し各国へ引渡す措置がとられた。これは講和会議の開催が遅れたための措置で「中間賠償」と呼ばれ、工作機械など四万三九一九台が対象になり、総額は一九三四年の時価で一億六五一六万円になった。その五四％は台湾を含む中国に移送され、一九％はオランダへ、一二％はフィリピンへ移送された。講和会議の開催が決まると中間賠償は停止された。朝鮮戦争の米軍支援基地として、日本の生産設備をフル稼働させる要請が生じたことも、中間賠償が停止された一因であった。それ以前の段階で、アメリカは、賠償総額の規模も引き下げている。

一九五一年に講和会議が開かれ、サンフランシスコ平和条約が結ばれてから、日本は、同条約の規定に従い、アジア諸国と二国間条約を結び賠償金を支払うことになった（講和会議に関しては第三章六参照）。二国間条約は、一九五四年にビルマ（現ミャンマー）との間に初めて調印され、その後、フィリピン、インドネシア、南ベトナムなどが続いた。その総額は六五六五億九二九五万円に達する。賠償金の多くは、各国にダムを建設したり、新造の船舶を引き渡したりする形で支払われた。ダム建設や船舶建造を請け負ったのは日本企業であったため、実質的に日本の賠償金は日本の大企業に支払われた。これは日本の経済外交にも沿った政策であったから、ある経済官僚は、「賠償は商売である」と本音を漏らしている。

ただし日本の戦争による最大の被害国中国に対しては、一九五〇年以降、賠償という形の措置は行われなかった。四九年に成立した共産党政権下の中国と日本との間では、国交が不正常な状態が長く続いた。そして七二年に国交が正常化された際、日本政府は賠償を支払わない方針で臨み、中国政府は「賠償請求」を放棄することを表明した。日本政府が主張の根拠の一つとしたのは、五二年に台湾政府と結んだ平和条約（当時は台湾の中華民国政府が国際的に中国を代表する立場を保持していた）で、日本に対する「賠償請求」が放棄されていたことである。台湾政府自身には日本へ賠償を請求する希望があったにもかかわらず、東西冷戦の中、日本をアジアの拠点とする戦略を進めていたアメリカが、それを許さなかった。一方、七二年の時点で中国政府は、文革の混乱を克服し、立ち遅れた経済の復興を図るため、日本との国交正常化を急いでいた（第三章四参照）。中国市場の将来に期待した日本は、賠償を支払わない一方、多額の円借款と経済援助を行うことを中国に約束し、国交正常化に応じた。

一九九〇年代になると、中国では、第二次世界大戦中に中国人労働者を雇用していた日本企業に対し、労働者が受けた損失の賠償を求める運動が広がった。それを受け、ある程度、国内世論も配慮せざるを得なくなった中国政府は、「個々の民衆が賠償を請求する権利は放棄していない」と、従来の主張に、微妙だが重要な修正を加えるようになった。

それでは、国家間の賠償問題とは異なる次元の問題として、個々の戦争被害者への賠償は、どのように行われてきただろうか（日本弁護士連合会一九九四）。

国内の日本人に対する賠償の九割以上は、旧軍人と遺族に支給された一時金や年金であった。これは元来、戦前に「軍人恩給」として一八七五年から制度が整えられ始め、一九二三年に体系化されていたものである。敗戦とともに停止された後、五三年に「遺族年金」などと名称を変えて復活し、五二年から九一年までの累計額は三〇兆九〇〇〇億円に達した。九一年度を例にとると、一七一万人に平均九二万円が支給されていた。その他には、六〇年度以降、原爆被災者に支給された健康管理手当がある。九一年度までの累計で約一兆六〇〇〇億円であり、九一年度は二三万人に平均三六万円が支給されていた。また、戦後、海外から帰国した引揚げ者に対し、一時給付金など総計約三〇〇〇億円が支払われている。ただし日本の場合、一般の空襲被災者など、以上に挙げた以外の戦争被害者には何も賠償がなかった。

一方、アジアの人々に対しては、賠償を求める各地の民衆運動の高まりを受け、一九八〇年代末以降、ようやく個別に若干の措置がとられるようになった。一つは八八年から始まったサハリン在住韓国人離散家族の再会を支援する事業であり、五億円が支出された。同じく八八年から台湾人の旧軍人と遺族に弔慰金・見舞金が支給されるようになり、五七〇億円が支出された。さらに九一年には韓国人原爆被災者支援の特別基金四〇億円が設けられた。こうした流れを背景に、戦後五〇年の一九九五年には、植民地支配と侵略によって、多くの国々、とりわけアジア諸国の人々に多大の損害と苦痛を与えたことに対し「痛切な反省の意」を表した村山富市首相談話も発表された。しかし、二〇〇〇万人以上とされるアジアの戦争被害者の内、以上に挙げた個々の賠償を受けとった人々は、きわめて限られた数にとどまる。朝鮮・台湾など旧植民地出身の将兵四五万人、そして徴用工などと呼ばれ半ば強制的に日本に連れてこられた労働者（朝鮮から七二万人、中国から五万人といわれる）のほとんどは、補償を受けとっていなかった。そのため戦時期に日本で働いた中国人、朝鮮人の労働者に対する補償問題は、二〇世紀末以降、裁判でも争われるようになった。

戦後補償——他国の場合

第二次世界大戦後の他国の例を見ると、日本に比べ戦後補償の対象が広く、一般国民や外国人にも補償が行き渡るようになっている場合が多い。例えば米・英・仏・独・伊は、外国籍の兵士や旧植民地出身の兵士に対しても、本国籍の兵士と同等の補償を行った。

また兵士以外の一般国民の戦争被災者に対する補償も実施されている。ドイツ国民に対するドイツの補償を例にとると、一九五〇年から施行された連邦援護法には、一般国民の空襲被災者に対する救済策が盛り込まれていた。五二年からは、ナチスの不法に対する補償として、迫害を受けたユダヤ系の人々などに対する補償も始まり、九〇年までに累計八六〇億マルク（九五年のレート一マルク＝約六〇円で計算すると約五兆円）が支払われた。同様な補償が外国人にも実施され、同じ期間に五〇億マルク（三〇〇〇億円）が支払われている。

戦後五〇年を経た二〇世紀末から二一世紀初めにかけ、人権意識の広がりに支えられ、戦争犠牲者に対する補償を拡大する動きが世界的に広がった。とくに戦時期に強制的に働かされたり、捕虜にされたりした人々への補償が多く、軍や政府だけではなく、当時の一般企業の責任も追及される事例が増えた。

ドイツは二〇〇〇年七月、「記憶・責任・未来」財団設置法を成立させ、政府と五〇〇〇社以上の企業とがそれぞれ五〇億マルクを出資した一〇〇億マルク（当時のレートで五二〇〇億円）を基金として、ポーランドなど東欧諸国の被害者一五〇万人を対象に補償を実施している。オーストリアも一五万人を対象に同様の措置をとった。こうした動きには、被害者の高齢化に加え、東西冷戦の終結後、欧州市場の拡大も見据え、ドイツが本格的に東欧諸国との関係修復に乗りだしていったこと、九八年三月頃からアメリカなどでドイツ企業を訴える訴訟が起こされたこと、なども影響を及ぼしていた。

時期を同じくして、カナダ、イギリス、オランダなどでは元日本軍捕虜・抑留者に対する補償措置が次々に具体化されていった。九八年一二月、カナダ政府が元日本軍捕虜へ追加補償措置を実施し、九九年一一月にはイギリス政府が該当する一万七〇〇〇人を対象に一人一万ポンド（一六〇万円）を支給すると発表した。さらに同年一二月、オランダ政府が一四万人を対象に一人一六万円を支給する方針を明らかにした。こうした動きの背景には、高齢化し生活不安が大きくなった元捕虜であった人々の運動があり、戦後処理の徹底を支持する各国の強い世論が存在した。日本政府は、五一年のサンフランシスコ平和条約で欧米諸国が日本に対する賠償を放棄していたことを理由に、新たな補償措置をとらなかった。

一方、以上に述べたような世界的な動きを背景に、アメリカ、韓国、中国などでは、戦時期に労働者を日本に連れてきて働かせた日本企業に対し、被害の保障を求める訴訟が起こされた。その直接の契機になったのは、九九年七月に米カリフォルニア州の民事訴訟法が改正され、そうした訴訟に道が開かれたことであり、二〇〇〇年九月までに四〇社以上が提訴されている。二〇〇〇年五月、韓国の釜山《プサン》で韓国人の被爆徴用工が三菱を提訴した。これが韓国初の日本企業提訴である。また同年一二月、中国河北省で中国人建設労働者が熊谷組など五社を提訴し、中国初の提訴となった。戦後処理の徹底を求める各国の世論と日本のあまりにも不十分な戦後補償を背景に、各国の司法機関も対処せざるを得なかった。

すでに日本で起こされていた裁判にも、この時期に新たな動きが生じている。二〇〇〇年七月、最高裁で機械製造会社不二越と韓国人被害者の間に和解が成立し、補償が支払われることになった。同年一一月には、東京高裁で建設会社鹿島と花岡事件（花岡鉱山で働かされていた中国人労働者が劣悪な待遇などに抗議して起ちあがり、弾圧された事件）被害者の間に和解が成立している。企業側は、史実と自らの責任を認め、赤十字にあたる中国紅十字会に三億五〇〇〇万円の基金を拠出することになった。旧日本軍が中国東北地域に遺棄してきた毒ガス兵器の被害に対しても、二〇〇三年九月に東京地裁で日本政府の責任が認定されるとともに、それと並行して進められた日中両国の政府間協議に基づき、捜索処理活動が開始された。旧日本軍は、国際法違反の毒ガス兵器の製造と所蔵を隠すため、敗戦の際、川の中や土中に少なくとも七〇万発以上を遺棄していた。戦後の長い歳月を経て、兵器自体の破損や都市開発によって毒ガスが漏れ、死傷事故が発生するようになっていたことも背景にあった。

戦後賠償、戦後補償は、すでに述べたように日本も実施してこなかったわけではない。ただし日本の場合、国内向けがほとんどであり、それも旧軍人向けが圧倒的な比率を占めていたこと、逆にいうと外国向け、アジア向け、個人向けは極めて小さな規模にとどまったという多くの限界があった。

こうして日本による戦後補償が不十分なままに推移してきた要因の一つは、戦争に対する責任を明確に認めない国民的な意識に見いだされる。しかも、それは何の根拠もなく広がっていたわけではない。最初に指摘したように、民衆自身の戦争体験に加え、アメリカが戦後に広めた宣伝や東京裁判の内容なども大きな影響を及ぼしてきた。戦争責任を曖昧《あいまい》にする日本人の意識は、必ずしも民衆だけの問題とは言い切れるものではなく、だからこそ今も学校教育・社会教育・メディアなどを通じて大きな影響力を持ち、根強く存在し続けている。しかし、戦争責任を曖昧にする意識を克服するのは、最終的には民衆である。

おわりに

第一次世界大戦から第二次世界大戦へと、世界も、日本も、めまぐるしく動いた。第一次世界大戦が終結しヴェルサイユ講和条約が結ばれた一九一九年から、第二次世界大戦が勃発した一九三九年まで、わずか二〇年にすぎない。イギリスの外交官として同時代を体験した国際政治学者E・H・カーが著した本のタイトルは、まさに『危機の二〇年』（カー一九九六）であった。

後から振り返ってみれば、第一次世界大戦の戦後処理の過程の中に、第二次世界大戦の勃発に至る種が潜んでいた。それは、第一章の最後に述べたとおりである。しかし、ドイツのナチズムや日本の軍国主義が、実際、再び世界大戦を引き起こすまでには、いくつもの段階が存在した。第一次世界大戦が終結してから一〇年ほどの間、世界は、全体としてみるならば平和と繁栄に向かっているように見えた。最初の大きな変化は、一九二九年に勃発した世界大恐慌である。恐慌から脱却する道を軍事力を用いた利権拡張に見いだす動きが広がり、一九三一年九月、日本の満洲侵略が始まった。ドイツでは対外的威信の回復をめざすナチズムが急速に国民の支持を集めるようになり、イタリアのファシズムも植民地リビアの独立運動を抑え込むとともに、隣国エチオピアに食指を動かし始める。

そして一九三〇年代半ば、国民党政権の下で統一と発展を遂げつつあった中国に対し、日本の一部には強い警戒心と反発が生まれ、軍事力によって在華権益の維持拡大を図る動きが強まった。ナチスが政権を掌握したドイツでは再軍備が進み、一九三六年三月にはルール地方への進駐が強行された。一方、一九三五年一〇月、ファシスト政権のイタリアがエチオピア侵略に踏み切ると、それに呼応するかのように一九三七年七月から日本が中国への全面侵略を開始した。

こうして世界に戦雲が広がる中、一九三五年のコミンテルン第七回大会が反ファシズム人民戦線を呼びかけたことをはじめ、平和を求める動きも強まった。しかし、国境を越えた連帯が戦争への勢いを阻むことはできなかった。英仏両国は、一九三八年九月のミュンヘン会談でドイツのズデーデン地方併合を容認するなど宥和政策をとり、ソ連もまた一九三九年八月に独ソ不可侵条約を結び、ドイツとの対決を一時回避する。そして同年九月、再び世界大戦が勃発した。

ドイツのポーランド侵攻に始まる第二次世界大戦は、一九四〇年の時点では、あたかも日独伊の三国によって世界の半分が支配されてしまうかのような展開を見せる。しかし、日独伊の暴走が可能であったのは、そこまでであった。一九四一年を迎えても中国の抗戦体制は維持され、イギリスはドイツの侵攻を許さず、ソ連は同年六月に攻め込んできたドイツへの反撃を開始した。アメリカも急速に日独伊三国への対決姿勢を強めていく。その一九四一年の末、日本は対米英戦争に突入した。歴史の流れを見失った自滅行為であった。開戦の半年後には日本の優位は消えた。アジア・太平洋戦争によってアジア各地で膨大な数の人命が失われ、総力戦の論理の行きついたところに原爆が炸裂した。

敗戦後、日本には平和憲法が生まれた。しかし、その平和への希求は、しばしば被害者意識に偏ったものになり、他のアジア諸地域に対する加害者としての責任が忘れられた。戦後賠償は中途半端なものに終わり、未だに完全な解決にはほど遠い状況が存在している。戦争責任を曖昧にする意識を克服するのは、最終的には民衆である。戦争責任に対する自覚を広げ、戦後賠償の充実に努めながら、中国をはじめ他のアジア諸国との関係を築いていくことが求められよう。

〈注記〉

1、満洲 Manchuria は、満洲族が居住していた地域の総称で、黒龍江、吉林、奉天（遼寧）の三省が置かれたことから東三省とも呼ばれた。戦後は中国東北地域と呼ばれることが多い。

2、花谷の回想は現代史研究者の秦郁彦によってまとめられ、一九五六年、『別冊知性』に発表された。事変当時から関東軍を疑う声はあった。たとえば奉天駐在の林久治郎総領事は、幣原外相宛の三一年九月一九日付第六三五号電で、「今次事件ノ原因ニ付テハ陸軍側ノ所報ニ疑ノ余地多キモ」と述べ、謀略である可能性を強く示唆している（『日本外交文書』満洲事変 第一巻第一冊、外務省、一九七七年、七頁）。

3、石原莞爾（一八八九―一九四九）は、当時、関東軍作戦主任参謀、中佐。一九三六年、日本本国の参謀本部戦争指導課長となり、戦時経済の計画を立案。板垣征四郎（一八八五―一九四八）は 関東軍高級参謀、大佐。一九三八～三九年に陸軍大臣、戦後、戦犯として裁かれ処刑。

4、日本の国際為替銀行であった横浜正金銀行（東京三菱銀行の前身）頭取児玉謙次が団長をつとめ、紡績業、銀行業などの重役クラスが参加している（波多野ほか編二〇一八年）。

5、ヴィリ・ミュンツェンベルク（一八八九―一九四〇）は、ドイツのメディアで大きな影響力を持っていた共産党員で、コミンテルンの中では共産主義者以外の人々との共同闘争を担当する部署にいた。

6、八月二五日に日比谷東洋軒で開かれた「友の会」創立大会は、右翼の議事妨害による混乱を理由に、警察当局の解散宣告によって打ち切られ、九月二日に開かれた役員会も当局によって無届け集会とされ、加藤、江口らが拘束され中止された。

7、中国の守備軍は第二九軍第三七師第一一〇旅第二一九団第三営（「師」は日本の師団、「旅」は旅団、「団」は連隊、「営」は大隊に相当）。盧溝橋がある宛平県の県城（中国の「県」は日本の「郡」ほどの広さで、「城」とは壁に囲まれた都市の意）で守備に当たっていた。一方、攻撃した日本軍は、支那駐屯軍歩兵第一連隊第三大隊の約五〇〇人。義和団事件後の一九〇一年、清朝と各国との間で結ばれた北京議定書に基づき外国人保護などを理由に駐屯を認められ、当時は、約五八〇〇人が華北に駐屯していた。

8、ティンパーリー『戦争とは何か――中国における日本軍の暴行』に対しても、彼が一九三九年から中国の対外宣伝に協力したことを理由に、著書の信憑性に疑問が呈されたほどである。戦乱の中、当時の報道が全て正確だったわけではない。だが、ティンパーリーの著書についていえば、すでに述べたように、その主な情報源は、実際に現地で難民保護にあたっていた南京安全区の国際委員会であった。

9、八路軍の攻勢（百団大戦）を受けた後、華北の日本軍は、国際法違反の毒ガス兵器使用も含む掃蕩作戦を行い、村落の焼き討ちと住民虐殺を繰り返した。中国側は、焼き尽くし、殺し尽くし、奪い尽くす、という三つの「尽くす」（中国語で「光」）の「三光作戦」と呼び、厳しく非難した。

10、なおオランダ本国はドイツの占領下に置かれており、オランダ領東インドの植民地当局は独自の判断で日本に対処し、ロンドンに亡命していた本国政府もそれを認めた。

11、フランス本国で対独協力政権が崩壊した後を受け、日本軍が仏印軍を攻撃し、仏印を直接支配下に置いた事件。

12、二〇世紀末から二一世紀にかけミャンマー民主化運動の象徴的存在となったアウンサン・スーチーは、彼の娘である。

第三章

社会主義の模索と東西冷戦

はじめに

社会を中心に考える社会主義やコミューン（自治的共同体）を中心に考える共産主義という言葉が広がり、それを支持する勢力と反対する勢力とが激しく対立した時代があった。一九世紀に西欧で生まれた社会主義思想は、二〇世紀に、二度の世界大戦を契機として、ソ連型社会主義という特異な体制の国家群が成立するまでに発展した。一九四〇年代後半から八〇年代にかけ、ソヴィエト社会主義共和国連邦（ソ連）をはじめとするソ連型社会主義の諸国（ロシア・東欧圏が中心で「東側」と呼ばれた）と西側諸国（東側では資本主義諸国と呼んだ）との間では、何度かの緊張緩和を挟みつつ、東西冷戦と呼ばれる敵対状況が続いた。

同時に重要なことは、ソ連型社会主義とは一線を画する別の社会主義勢力が、西欧諸国では政権についた時期があり、今も世界に相当の影響を及ぼしている事実である。フランスの経済学者ピケティが書いた『二一世紀の資本』は格差の拡大を批判し世界的ベストセラーになったし、二〇二〇年のアメリカ大統領選挙では、民主社会主義者を自認するサンダース上院議員が支持を集めた。現代世界の認識にとって、資本主義を批判し社会主義を掲げる思想と運動、そして体制に関する理解を避けて通ることはできない。

そうした大きな存在であるにもかかわらず、あるいは、むしろ、そうであるがゆえに、かもしれないが、社会主義とは何か、それはどのような思想として生まれ、どのような運動として広がり、どのような体制を築き、どのような過程を経て、あるいはすでに解体し、あるいは今も存続し、よみがえっているかといった一連の問題について、歴史教育の場で語られる機会は少ない。しかし、わたしたちの歴史総合にとっては、最も考えるべき課題の一つである。

一、社会主義とは何か——一九世紀西欧から広がった思想と運動

社会主義思想の起源

蒸気の力で機械を動かし鉱工業生産を急拡大する経済活動は、汽船や鉄道など新たな交通手段の展開をともないながら、一八世紀以降、西欧から全世界に広がった。産業技術の革新は、一九世紀末までに電気動力、電気通信の利用や化学工業にも及ぶ。こうした過程を産業革命と呼ぶことについては、全ての分野で一挙に変化が起きたわけではなかったことから、「革命」という呼称を使うのに慎重な見方も提起されている。呼称の問題はともかく、鉱工業生産の急拡大と交通通信手段の新展開は、農業生産に対する新たな需要も掘り起こし、世界的な規模の市場を広げるとともに、商業や金融制度の在り方も変え、経済活動全般の発展を推し進めていった。発展は各地の自然的、政治的、社会的な諸条件に影響され、きわめて不均衡な形で進んだ。その中で巨万の利益を得る人々もあれば、逆に従来の生活基盤を崩され、大きな損失をこうむる人々も生じた。高利潤をめざす経営者と低賃金で働く労働者の間の格差が増大し、富裕層が生まれる一方で貧困が広がり、環境破壊も深刻なものになった。

こうした一九世紀という時代に、格差社会を憂い、貧困など社会問題の解決を求める思想として生まれてきたのが、社会 Society を何よりも大切にしようという社会主義 Socialism の思想である。後述するように、労働者の待遇改善や教育に心を砕いたイギリスの紡績業経営者ロバート・オーエンも、貧しい人々の救済に思いを寄せレ・ミゼラブルを執筆したフランスの文学者ビクトル・ユーゴーも、あるいは、ドイツに生まれ

亡命先のイギリスで、格差を生む経済制度の解明に打ち込んだ革命家カール・マルクスも、皆、そうした流れの中にいた。生活困窮者を救う施策として以前からあった救貧法などとは異なり、産業革命が進展した一九世紀に、社会の変革をめざす民衆運動を伴いながら生まれたのが社会主義思想である。

一方、そうした社会主義の対極にあるものとして、資本 Capital の拡大をひたすら追求する資本主義 Capitalism という言葉も使われるようになった。本来は、ディッケンズのクリスマス・キャロルに登場するスクルージのような、金儲け第一主義という否定的なニュアンスで用いられたのが資本主義という造語であり、それを批判するマルクスの著書は『資本論』と名づけられた。その後、日々の経済活動の向上をめざす精神の産物として積極的な意味で資本主義という言葉を使う学者も出現し、今では、近代の経済発展の中で生まれたシステムに対する一般的な呼称として資本主義という用語が用いられるようになっている。しかし言葉の成立の由来をたどれば、そういう経緯になる。

経済成長の在り方が地域によって異なり、社会問題を解決する方策としても様々な方法が考えられたため、一九世紀の西欧で生まれた社会主義思想は、それが生まれた当初から多種多様な内容を持っており、それぞれの論者の間でも活発に議論が交わされた。共産主義思想もその一つである。ここでは一九世紀社会主義思想の諸相を整理し、資本主義に代わる選択肢の模索を振り返っておきたい。

協同組合運動からフェビアン協会へ

産業革命が早くから進展したイギリスでは、ロバート・オーエン（一七七一―一八五八年）という一人の有能な企業経営者が社会主義的な改革を模索する道を歩んだ。一二〇代で成功したオーエンは、スコットランドのニュー・ラナーク紡績工場で、労働者の待遇改善と労務管理の強化によって生産性を向上させ、多くの利益をあげた。そこで彼のモデルを広げるため、労働者の待遇を改善する工場法改正に向け奔走するが、世論の中では孤立する、ようやく一八一九年に実現した紡織工場法は、適用対象が紡織業に限定され、児童労働の禁止も夜業だけにされたうえ、監督官庁の抜き打ち査察の条項も削除されたものだった。工場法改正の努力に限界を感じたオーエンは、二〇年、「ラナーク州への報告」という文書をまとめ、「貧しい労働者階級に対し、恒久的、生産的な仕事を与えることによって公共の困難を救済し、不満を除去するための計画」として、利潤を追求せず、協同の生産と消費を組織することを提唱した。現代の協同組合運動につながる構想である。それは、四二年、マンチェスター近郊のロッチデールに設立される世界最初の本格的な生活協同組合となって結実した。[1]協同組合運動は、一九世紀半ば以降、労働者を主体としてイギリス各地に広がった。また、この時期には、産業革命を通じて増加した労働者が、労働条件改善を求めて労働組合を組織するとともに、普通選挙権の実現を迫るチャーティスト運動を展開している（世史⑥91）。男性の選挙権は一八三二年、六七年、八四年の選挙法改正を通じて徐々に拡大し、女性参政権も二〇世紀に入ってから実現した。

　このような社会状況を背景として、一八七〇年代の大不況期を経た後、八〇年代には社会主義を掲げる政治団体が次々に組織された。その一つが、八四年、中産階級の知識人が設立したフェビアン協会である。ウェッブ夫妻らの下、協会は、議会政治を通じて社会を改革し、科学によって産業社会を管理し、漸進的に社会主義を実現することをめざし多彩な活動を続け、二〇世紀初めに結成されるイギリス労働党の母体にもなった（名古一九八七）。ロンドン大学経済学部（ＬＳＥ）も同協会が設立した市民大学である。

　フェビアン協会が設立された一八八四年には、マルクスの主張（後述）に共鳴する人々を含むメンバーによって社会民主連盟が設立された。多くの支持は集めなかったとはいえ、急進的行動によって社会主義の実現をめざすことを提唱し、後にその一部はイギリス共産党を設立した。

サン・シモンの産業組織化論

一九世紀前半、フランスでもピエール・ルルらの社会主義思想が芽生えていた（世史⑥100）。多くの論者に共通していたのは、イギリスの経済発展に対抗する工業力を備えることを重視する傾向であり、社会問題の解決には産業の発展が急務だというサン・シモン（一七六〇―一八二五年）の主張もその一つであった。ただし、たんに産業を発展させるだけでは、貧富の差が広がるばかりで、社会問題も解決できない。肝心なことは、産業を組織化し、協同のものにすることだという見通しを、サン・シモンは最晩年の著書「産業者の教理問答」の中で示した。彼自身は貴族の出身であり、企業経営に携わったこともなく、生前の影響力は大きかったわけではない。むしろ彼の死後、サンシモニアンと呼ばれた熱烈な信奉者がサン・シモンの思想を発展させ、フランスの社会主義思想を形づくっていくことになった。

経済発展の論理をともなう社会主義という構想は、中欧、東欧、南欧などの社会主義思想にも多かれ少なかれ共通するものになった。そして一九世紀末から二〇世紀にかけヨーロッパ以外のアジア、ラテンアメリカ、アフリカなどに社会主義思想が広がった時、それらの地域の社会主義思想は、たんに社会問題の解決をめざすだけではなく、民族的な自立と経済の発展、軍事力の強化と深く結びついたものになっていく。

マルクスの『共産党宣言』

イギリスで協同組合運動が広がりを見せ、フランスでサン・シモニアンが産業の組織化を提唱していた一八四〇年代、ドイツ生まれの二人の若者を中心に新たな社会主義思想が形成された。その考えを集約したものがマルクス（一八一八―八三年）とエンゲルス（一八二〇―九五年）が起草した「共産党宣言」（一八四八年）である。彼らは、社会 Society より強い絆を意味する自治的共同体 Commune の実現を理想に掲げてコミュニズムと称し、日本や中国ではそれが共産主義と訳された。マルクスらは、資本主義の発展が巨大な生産力をもたらし世界を変えつつあることを踏まえ、そこで働く労働者が賃金以上の価値（剰余価値）を労働によって生みだす一方、資本家がその剰余価値を利潤として搾取する関係に根本的な問題があると考えた。そして、資本主義制度の廃絶こそが問題解決の道という、ある意味では極めて徹底した論理を体系化していく。「プロレタリアは、革命において鎖のほかに失うべきものを持たない。彼らが獲得するのは世界である。万国のプロレタリア団結せよ」と「共産党宣言」は呼びかけた。プロレタリアとは、ローマ時代の貧民にあたる言葉であるが、ここでは労働者階級という意味に近い。日本語で無産階級と訳されたこともあり、中国語では今もその字句を使っている。

マルクスらの思想は次第に影響を広げていったとはいえ、支持者がそれほど多かったわけではない。資本主義の発達につれ、すでに多様な社会主義思想が展開していたイギリスやフランスでは、新たに共産主義思想が広まる余地は小さかった。それに対し資本主義の発展が遅れていたドイツやロシアでは、資本主義に対する原理的な批判が広がりやすかった面もあり、比較的多くの人々に共産主義思想が受容された。そのような状況のなかで、六二年、ロンドンで万国博覧会が開かれた際、イギリスの労働者がドイツ、フランスの労働者と交流したことや、六三年のポーランドの民族蜂起を各国の労働者が支援したことなどを背景として、六四年九月、ロンドンで国際労働者協会の創立大会が開かれた。後に第一インターナショナルと呼ばれる社会主義者の国際組織である。マルクス主義者（共産主義者）もその中に加わっていた。ただし、この時の加盟団体は、西欧と北米に限られていた。

一八七一年、プロイセンとの戦争に敗北したフランスのパリで、政府に不満を持つ兵士や民衆が蜂起し、パリ・コミューンと呼ばれる自治政府が出現した。蜂起には社会主義者も参加したとはいえ、自治政府がめざしたのは、直接民主制に基づく行財政の推進や個人の自由の保障などであって、社会主義の政策を掲げたわけではない。しかし自治政府が二ヵ月程度で武力鎮圧された後、フランスのみならず欧米各国で、社会主義運動を含むさまざまな民衆運動に対する規制が強まった。第一インターナショナルは、内部で組織運営をめぐる意見対立なども激しくなったことから七六年に解散している。

二〇世紀初頭の社会主義勢力

一八八〇年代になると、西欧各国で社会主義運動が再び活発になった。一八八九年、パリに各地の社会主義勢力の代表者が集まり、後に第二インターナショナルと呼ばれる新たな国際労働者協会を結成する。そして一九〇四年のアムステルダム大会で各国内の運動の統一を呼びかける決議が採択されたのを契機として、フランスで一九〇五年に統一社会党が結成されるなど、各国で社会主義勢力の結集が進んだ。

ではこの時期、社会主義勢力はどの程度の支持を集めていただろうか。当時、人口が六〇〇〇万人を超えつつあったドイツの場合、ドイツ社会民主党の党員数は約五八万七〇〇〇人余、得票数は三〇〇万票台であった。フランスでは人口四〇〇〇万人に対し、フランス統一社会党の党員数が約四万三〇〇〇人余、得票数は八八万票台であった。また、イギリスに関しては、一九〇六年総選挙の投票総数五六四万五三四一票のうち、イギリス労働党の得票数は三二万三一九六票〔三二三万一九六票〕

八八万票台であった。また、イギリスに関しては、一九〇六年総選挙の投票総数五六四万五三四一票のうち、イギリス労働党の得票数は二五万四二〇二票（得票率四・八％）、獲得議席数は全議席六七〇のうち二九議席だったという結果が出ている。社会主義勢力は、小さいながらも各国でこの程度の位置は占めるようになっていた。マルクス主義を支持していたのは、社会主義勢力の一部であったとはいえ、ドイツでは多数を占め、ロシアやフランスでも相当の影響力を保っていた。このような社会主義勢力の存在感が一挙に大きくなる契機になったのが、第一次世界大戦の最中に起きたロシア革命であった。

二、ロシア革命が生んだソ連型社会主義

ソヴィエト社会主義共和国連邦（ソ連）は一九二二年に成立した。ロシアをはじめソ連を構成する各共和国では、社会主義を掲げる勢力が一党独裁の形で政権を掌握し、国営工業と集団農業を軸にした統制計画経済という共通の特徴を持った国家体制を構築していく。ここでは、それをソ連型社会主義と呼ぶ。一九世紀に西欧で生まれた社会主義思想は、二〇世紀になっても西欧諸国では国家の体制にはなっていない。では、なぜロシアで、それは生まれたのだろうか？　結論からいえば、ソ連型社会主義は、一九一七年のロシア革命とそれ以降の曲折に満ちた一〇年余を経て出現したものであった。

ロシア革命の複雑な性格

そもそもロシア革命は、社会主義をめざしたものではなかった。しかし、革命勢力の一部にいた社会主義

ロシア革命の発端　食糧を求める女性労働者(1917年2月)

者が最終的に主導権を握り、ソ連型社会主義の構築に歩み出すことは事実である。経過をたどろう。

ロシア革命は、ロシア暦の二月に起きた二月革命と一〇月に起きた十月革命の二つに分かれる。二月革命は、ロシア皇帝の専制統治を覆した革命であり、社会主義とは無縁である。第一次世界大戦への参戦以降、ロシアでは国内の社会経済状況が極度に悪化し、一九一五年から一六年にかけ、政府の改組を求める中道派国会議員らが結成した進歩ブロック、より徹底的な民主化を求める政治グループ、弾圧され非合法の状態にありながらも労働者に支持される社会民主党などが活動を活発化させていた。皇帝専制の根本的な転換を求める声は、隣接する清朝やオスマン帝国でも帝政が倒れる中、高まらざるを得なかった。そして、一九一七年二月二三日（ロシア暦。西暦では三月八日の国際女性デー）、積雪による交通マヒで僅かな食糧の確保すら覚束なくなった首都ペトログラードで、繊維工場の女性労働者がストライキに入り、「パンをよこせ」というデモを行った。これをきっかけにストは市域全体に拡大し、四日後には三〇万人以上の労働者がストライキに加わった。五日後には、戦争の継続に不満を抱いていた兵士までがこれに合流し、二月二八日、首都の政府軍は崩壊した。政府と国会の対応は遅れ、軍が崩壊する前日の二七日午後、諸勢力間の協議と秩序回復に向け国会臨時委員会が組織された。一方、同じ二七日の夜には、運動に参加した労働者の代表、兵士の代表、さまざまな立場の知識人らが集まり、協議会（ソヴィエトと呼ばれた）を成立させた（世史⑩27）。

こうして、一方には官僚の大部分と軍の将校層に支持され一部の警察権を握った国会臨時委員会、他方には労働者、兵士らの代表を結集したソヴィエトという二つの権力が並立する状況――二重権力状態と呼ばれる――が生まれる。反撃に失敗した皇帝ニコライ二世は、ミハイル大公に帝位を譲る決断を迫られた。しかし、譲位された当のミハイル大公も厄介な帝位を継承することを拒否した結果、ついに三月四日、ロシアの帝政は崩壊した。首都ペトログラードには、国会臨時委員会と労働者兵士ソヴィエトという二つの権力の双方に支持された革命政権として臨時政府がつくられ、全国の都市に同様の動きが波及していく（和田一九七〇）。七月に首相に就くケレンスキーも、この時入閣した（世史⑩28）。

しかし臨時政府が直面した課題は、あまりにも巨大なものであった。一方では社会経済を立て直し、都市労働者らのパンを求める声に応えなければならなかったし、他方では戦争を終結させ、平和を切望する兵士の声にも応えなければならなかった。地主の支配を絶ちきり、土地所有の保障を求める農民の動きも急速に拡大していた。ロシア人以外の諸民族が多く住む地域では、ロシア帝国からの解放をめざす動きが高まった。これらの動きには相互に矛盾する部分が含まれていた。例えば戦争終結を急ぎドイツに大幅に譲歩すれば、ロシアの社会経済が担うべき負担は増大する。都市への食糧供給を優先させれば、農村からの食糧徴発を避けられない。そうした難題の解決を、臨時政府は、二重権力状態の下で遂行しなければならなかった。

では、どうなったか。二月革命で生まれた臨時政府は、革命を推進した諸勢力の間の対立が激化する中、あっけなく崩壊した。それが十月革命にほかならない。十月革命で権力を掌握したのは、都市の労働者兵士ソヴィエトに支持された社会民主党のボリシェヴィキ（党内多数派を意味する）と農村部で支持を広げていた社会主義者＝革命家党（エスエルと呼ばれる）の連合勢力であった。この時期に実施された議会選挙の結果によれば、ボリシェヴィキの得票率は二四％、エスエルの得票率は四〇％である。いずれも過半数の支持を得ていたわけではない。十月革命で成立した革命政府が最初に発した布告は、ドイツとの即時停戦をめざす「平和に関する布告」であり、土地の農民所有を認める「土地に関する布告」である（世史⑩31、32）。一方、国会臨時委員会の流れを引き継ぐ勢力は、対独戦争の即時終結にも、農村での社会改革の推進にも慎重であったため、権力の座から追われ、首相だったケレンスキーは国外へ去った。

十月革命で成立した革命政権は臨時労農政府を名のり、レーニンらが率いるボリシェヴィキと左派エスエルという二つの社会主義勢力が主導権を握った。彼らの社会主義構想に基づき工場経営を労働者の統制下に置くことが決定され、銀行などの国有化が実施された。しかし新政権の前には、それまでの政権が直面した矛盾に満ちた諸課題が厳然と立ち塞がっていた。そして、それへの対処をめぐり社会主義勢力の間に大きな亀裂が走った。ボリシェヴィキがドイツへ大幅に譲歩して講和を結び、農村で穀物徴発を進めたことに対し、農村に基盤を持つ左派エスエルは、一九一八年七月、反乱を起こして弾圧され、政権から姿を消す。一党による独裁というソ連型社会主義の特徴の一つがこうして生まれ、ボリシェヴィキは、一段と支持基盤を狭めながら危機に対処することになった（世史⑩33）。

一九一七年のロシア革命で重要だったことは、第一次世界大戦の衝撃を受けたロシアで、皇帝専制に反対する多様な勢力の連携の下、首都で起き全国に波及した二月革命によって帝政が崩壊したこと、それに対し農村と民族地域の動きも加わった十月革命では社会主義者の政権が成立し、一部では彼らの社会主義像を反映する政策も実施されたこと、ただし一九一七年の時点では、「パンと平和」が切実に求められた一方、新たな国家体制は形成されていなかったこと、一党独裁というソ連型社会主義の政治的特徴は一九一八年夏以降、革命後の政治過程を通じ出現してきたものだったことである。ソ連型社会主義を経済面で特徴づける国営工業と集団農業を軸にした統制計画経済は、未だにその姿を見せていなかった（池田ほか編二〇一七）。

このようにロシア革命は複雑な性格を帯び、一九一七年の時点では国家体制の姿も定まっていなかった。にもかかわらず、「社会主義者が革命で権力を掌握した」というニュースは世界中を駆けめぐり、新たな希望と関心、そして強い警戒心を抱かれることになった。中国では一九二一年に、また日本では二二年に、小さいながらも共産党が産声をあげた一方、英仏米日などは革命政権を圧殺しようとする軍事行動を進めた。

統制計画経済下の急成長

十月革命で生まれた革命政権は、一九一八年三月のドイツとの講和で息を継いだ。しかし、革命政権を圧殺しロシアの戦線離脱を抑えようとするイギリス、フランス、アメリカ、日本などによる干渉戦争が始まり、政権の危機は対外関係の面でも深刻なものになった。「平和」は、まだ実現しない。一方、穀物徴発に対する農民の反発が広がり都市での食糧供給が滞ったことから、「パン」も十分に確保されない状態が続いた。

革命政権がめざしたはずの「パンと平和」が達成されず、連携するはずであったヨーロッパ諸国における革命への期待も急速にしぼんでいく。こうして内外の危機に追い詰められたボリシェヴィキ政権が最初に採った政策は、戦時共産主義と呼ばれるものであった。都市では小企業まで国有化して市場や商業活動を抑制し、労働者に無償の労働奉仕（「土曜労働」と呼ばれた）を呼びかけ、農村では貧農層に依拠して富農層を攻撃し穀物徴発を強行した。しかし、こうしたあまりにも強権的な政策は民衆に支持されず、都市の経済は一段と疲弊し、農民の政権からの離反は一層顕著になった。

政権は、英仏米日などの軍事干渉を辛くも退けた後（コラム「ロシア革命、シベリア戦争と日本」一四一頁参照）、一九二一年二月から、市場経済の部分的な復活を認め、強制的な穀物徴発を食糧税徴収に切り換えるなど、大幅な政策転換に乗りだしていく。「農民との正しい相互関係」に基づき堅固な労農同盟をめざす、とレーニンは記した。二〇年代の半ばには穀物買上げ価格が引きあげられ、食糧税が引下げられる一方、都市では市場と営業の自由が復活する。天候にも恵まれ、ロシア経済は復調した。但し、こうした新経済政策（ネップ）を社会主義からの一時的後退とみる見解も、政権の内部では有力であった。さらに大きな問題は、ネップによる経済の復調は、戦争と革命がもたらした打撃を回復した水準にとどまったことである。そして、ソ連一国による社会主義建設を可能にする新たな経済発展に向け、ネップからの政策転換が不可欠と考えるスターリンらの見解が多数を占めるようになっていった。世界革命の展開に社会主義の実現を委ねようとするトロツキーらの主張は孤立した。農村からの穀物調達が再び困難に陥った二七年以降、ネップは急速に影を潜め、農業集団化と工業への計画的重点投資が展開されるようになる。

もっとも国外には、革命党の独裁下で市場と営業の自由を認めたネップを、自国の変革モデルとして積極的に評価する人々もいた。その一人が中国国民党の指導者孫文である。孫文は一九二三年に軍人蒋介石が率いる代表団をソ連に派遣し、ソ連から財政的軍事的支援の約束を取り付けた。中国国民党は、ソ連の影響下で生まれていた中国共産党の協力も得て中国国民革命を推進していく（世史⑩64、65）。これはソ連の対外関係の重荷も減らした。中国の国民革命は、一九二八年に国民党政権下の全国統一をもたらした。[2]

ロシア革命、シベリア戦争と日本

ロシア革命は、米人記者ジョン・リードの『世界を揺るがせた十日間』という書名のとおり、世界を震撼させた。そして、ロシア国内で孤立することになったチェコ軍団の救出を名目に、実質的には、平和を求めたロシア革命政権の戦線離脱によって崩壊した対独戦の東部戦線を再構築するため、一九一八年、英・仏・伊・米・加・日などの各国がロシアに軍隊を送り込んだ。主戦場となった地域の名にちなみ、シベリア戦争と呼ばれる（麻田二〇一六）。

チェコ軍団とは、オーストリア＝ハンガリー帝国からの独立をめざしドイツと戦おうとしていたチェコ人とスロヴァキア人の部隊である。一六世紀からオーストリア帝国の支配下にあったチェコ及びスロヴァキア出身のロシア在住移民と元兵士（大戦捕虜）らによって組織され、三万八五〇〇人を数えた。彼らは、一九一八年五月にロシア革命政府が対独講和に踏み切ったことから居場所を失い、シベリア—アメリカ経由で西から独仏国境の西部戦線に向かい、ドイツに対し参戦しようとしていた。その移動中、シベリアでロシア革命政府側と衝突事件を起こして孤立したため、彼らの救出が協商国の間で問題になっていた。

他の国々は、チェコ軍団の安全が確保されたことを機に、迷走を続ける反革命勢力の支援に見切りをつけ、一九一九年から二〇年にかけ次々に撤兵した。それに対し日本は、シベリアや樺太の日本人居留民保護を名目に出兵を続け、利権の拡張も企図しながら最大時七万二四〇〇人の兵力を送り込んだ（他国軍は総計で二万人）。日本軍の戦死者は二六四三人、戦病死者は六九〇人にのぼり、ロシア側には、戦死者、餓死者、病死者など、市民を中心に八万人の犠牲者が生まれたと言われるソ連の動きに話を戻すと、経済の計画化という発想自体は、すでに第一次世界大戦期の総力戦体制論に含まれていたし、一九二一年に設立されたゴスプラン（国家経済計画委員会）も、計画的な経済運営を課題としていた。しかし、それだけではソ連型社会主義は生まれない。経済の計画化に農村からの収奪を可能にするスターリン体制が加わった時、初めて強力な統制計画経済が可能になった。急速な工業化の原資として、穀物、木材などの対外輸出による外貨収入が重視され、政権にとっては、農村から穀物を低価格で調達することが至上課題となった。しかし、革命以来の事態を経験してきた農民は、政権を信頼していない。二七年には穀物輸出がほとんどゼロになるほど、市場への穀物供給量は減少した。これに対し政権は、行政的、司法的な手段によって穀物徴発を強化するとともに、それをさらに徹底させ農業生産を引きあげる手段として、農業の全面的な集団化を強行する（世史⑩159）。第二次五ヵ年計画の最終年である三七年末までに、農民経営の九三％、播種面積の九九・一％がコルホーズと呼ばれる集団農場に組織された。農民弾圧と農業集団化の過程で強制収容所の囚人数は激増し、その数は一九三〇年だけで一一万四〇〇〇人にのぼった。それは政治的には、党内闘争で勝利したスターリンの独裁体制が可能にしたものである。

一九二〇年代末から三〇年代にかけ、ソ連型社会主義の核心ともいえる統制計画経済が確立し、急速な工業化が推進され大きな成果を収めた（世史⑩158）。ソ連崩壊後の推計によれば、一九二八―四〇年の経済成長率は年平均五・三％、工業生産の成長率は一一・二％である。当時の公式統計（二八―四一年の経済成長率一三・九％、工業生産成長率一七・〇％）ほど高くはなかったにせよ、重工業にシフトした工業部門への重点的な投資は、確かに急速な経済成長を可能にした（松井ほか編二〇一七）。これは大恐慌下にあった欧米や日本に比べ対照的な状況であった。

こうして、集団農業により農民から収奪した資金を国営工業へ重点的に投資する統制計画経済が出現した。経済面におけるソ連型社会主義の誕生である。その下で、ソ連が整備した教育制度によって育った若者や再教育の機会を得て社会的地位を上昇させた労働者など新たな社会層が形成され、彼らがその後の数十年にわたってソ連型社会主義を支えていくことになった。

ソ連の急成長は国際社会に複雑な波紋を広げていった。ヨーロッパの社会主義勢力の多くは、ソ連の一党独裁と統制計画経済を批判的に捉えていた。ソ連もまたそれを意識し、彼らへの非難を強めている。一方、後発国、途上国の間には、ソ連型社会主義をモデルに自国の経済発展を図ろうとする考え方が生まれた。例えば隣国中国の国民党政権の場合、経済建設を進めた翁文灝らのテクノクラートが「われわれにとって極めて参考になる」とソ連の計画経済を高く評価し、それを紹介する『新経済』という専門誌まで刊行している。他方、欧米や日本では、ソ連の台頭を警戒する動きが広がった。イギリスとフランスが、一九三八年九月のミュンヘン会談で、ソ連の反対を顧みず、ナチスドイツによるズデーデン地方の併合を容認した理由の一つは、対ソ警戒心にあったことが指摘されている。

軍備拡張と現実的平和主義の共存

ソ連が生まれた原点は、第一次世界大戦の惨禍であり、「パンと平和」を切望するロシア民衆の要求であった。革命とその後の複雑な政治過程を経て、一党独裁と統制計画経済が「パンと平和」を保障するための手段として採用され、全てはソ連型社会主義の確立と推進のために捧げられるようになった。それを妨げる恐れがある芽は徹底的に摘み取っておかなければならない。指導者も、党員も、多くの民衆も、強い猜疑心にとりつかれ、密告と偽証、拷問による虚偽の自白が横行するようになった。一九三〇年代末には多くの幹部党員が処刑されたスターリンの大粛清という事態まで発生している。収容所列島ソ連の誕生である。

また、平和を守るためには、自国の軍備を強化するとともに、外敵がソ連に侵攻してくる可能性をできる限り小さくする必要があった。そこで、さまざまな外交努力が払われ、軍事支援が実施された。アジアでは東から日本が攻め込んでくる危険を避けるため、中国国民党政権との関係改善を図って日本の動きを牽制し、日中戦争が始まった後は、戦闘機とパイロットを中国に派遣し中国軍の抗日戦争を支援している。一九三五年夏にモスクワで開催されたコミンテルン第七回大会では、各国の共産主義者、民主主義者らに対し、平和を脅かすイタリアのファシズム、ドイツのナチス、日本の軍国主義に反対し、反ファシズム人民戦線を結成して起ちあがることが呼びかけられた（第二章三参照）。三六年二月、スペインで左派勢力主導下の人民戦線政府が成立すると、それを支援してドイツの動きを牽制した。さらに、必要があれば、ヒトラー政権のドイツや、対中侵略を進めていた日本との間で妥協することも厭わなかった。三九年八月の独ソ不可侵条約や四一年四月の日ソ中立条約がそれである。全ては、労働者の祖国、ソ連を守るためであった。

人々がソ連型社会主義の呪縛から解き放たれるためには、その後、数十年の歳月を要することになる。

三、二〇世紀西欧、日本の社会主義

社会主義思想と、社会問題への行政的対応を意味する社会政策とは、元来、密接な関係にある。社会主義思想が生まれた一九世紀のヨーロッパでは、労働条件を定める工場法をはじめ社会政策の立法化が進み、それをめぐる議論が社会主義運動の中でも活発に行われた。一九一七年のロシア革命後、社会主義を掲げて誕生したソ連は、社会政策の体系的な実施を図る。その後、二〇年代から三〇年代にかけイギリスの労働党政権やフランスの人民戦線政府など社会主義政党の政権が西欧諸国でも相継いで生まれ、その下で実施された社会政策は各国の社会経済の在り方を大きく変えた。社会主義運動が早くから押さえ込まれた日本でも社会政策は意識的に追求され、世界恐慌後のアメリカに生まれたローズヴェルト政権のニューディールにも、社会主義思想の影響を受けた社会政策が大幅に取り入れられた。各国の社会政策は、第二次世界大戦期の総力戦体制の中で新たな変貌を遂げ、戦後の福祉国家追求の営みへとつながっていった。

戦間期の西欧社会主義、イギリス

イギリスには、一九世紀以前から貧困者を救済するための制度が存在していた。しかし、例えば一八三四年の救貧法は、適用対象が生活困窮者に限られ、一九世紀イギリス資本主義の自由競争原理に適合した内容になっていた。それに対し、フェビアン社会主者ウェブ夫妻は『産業民主制』（一八九七年）を刊行し、全国民を対象とする社会保険という考え方を初めて提起した。これは、第二次世界大戦中に示される最低生活費保障原則に継承され、戦後の福祉国家の基礎を形成する。社会保険という発想の一端は、ある程度まで一九一一年の失業保険制度に盛り込まれ、二〇年と三四年の失業保険法でも政治問題化した。ソ連型社会主義を支持するイギリス共産党は、社会保険は資本主義の部分的改良に過ぎないとして、フェビアン社会主義の流れを汲む労働党を批判した。しかしこうした批判は多数の支持を得ていたわけではない。

このような中で成立したのがマクドナルド労働党政権である。一九二三年の総選挙は保守党二五八、労働党一九一、自由党一五八となり、自由党の閣外協力によって、マクドナルド率いる労働党が初めて政権の座に就いた。この第一次労働党政権は、失業手当や養老年金の増額、公営住宅建設への補助金支給などを実行し、ソ連との国交回復を進めた。自由党が閣外協力を解消したため政権自体は短命に終わったとはいえ、イギリスの憲政史上、初めて社会主義政党が政権を掌握した意味は大きい。そして、選挙法の改正により二一歳以上の男女平等普通選挙制度の下で実施された二九年五月の総選挙では、労働党が第一党となり、再びマクドナルドが首相に返り咲いた（第二次労働党政権）。この下でイギリスは世界恐慌を迎える。

二度も労働党政権が誕生したのは偶然ではない。第一次世界大戦に勝利したとはいえ、イギリスの戦死者数は七〇万人を越え、社会全体に大きな傷跡が残った。大戦の勝利に貢献した自治領や植民地の発言権が高まり、イギリス本国の地位は低下した。アジア諸地域で工業化が進み、アジア市場向け輸出に依存してきた綿工業が衰退する一方、大戦中に拡張された鉄鋼業、造船業、石炭産業も、戦後は過剰投資のため不振に陥った。こうした要因が重なり、世界恐慌が勃発する以前からイギリスの失業率は一〇%前後の高率で推移していた（世史⑩129）。社会経済の衰退を招いた保守党や自由党が支持を失い、労働党という社会主義政党の政権が選挙によって生まれたことには、それなりの理由があった（木畑ほか編二〇一一）。

しかし、第二次労働党政権が恐慌対策として失業手当の一〇%カットを中心とする緊縮政策を実施すると、労働党の最大の支持母体である労働組合会議が激しく反発した。その結果、一九三一年八月、第二次労働党政権は総辞職し、結局、労働党の一部と保守党、自由党が組んだ新内閣が発足した（挙国一致内閣）。新政権は、恐慌対策として、金本位制からの離脱を実行するとともに、帝国内の貿易を有利にする帝国特恵関税同盟とスターリング・ブロックと呼ばれる通貨同盟を形成するなど、景気回復策に力を入れた。社会政策に再び光が当たるのは、後で述べるように第二次世界大戦中の総力戦体制構築の中でのことになる。

戦間期の西欧社会主義、フランス

第二章三で述べたように、フランスでは、ファシズムの影響を受けた内外の動きに危機感を強めた社会党、共産党などが、一九三四年から反ファシズムの統一行動を進めるようになり、三六年一月には人民戦線派の共同綱領を発表した（世史⑩163）。綱領は前文で「民主的自由を擁護し、勤労者にパンを、青年に仕事を、世界に大いなる人間的な平和をもたらす」ことをめざす、とした後、政治的要求と経済的要求を掲げている。経済的要求には、国民失業基金の創設、労働時間短縮、大規模な公共事業の実施、穀物価格維持のための公団開設、農業協同組合への助成、小作料の引下げ、金融組織の改善、軍需工業の国有化、軍人恩給基金の創設など、広泛《こうはん》な社会政策的な内容が含まれていた。そして三六年四月二六日・五月三日の両日に行われた総選挙で、人民戦線派は勝利した。社会党の議席数は一四七、急進社会党一〇六、共産党七二、左翼諸派五一で合計三七六議席となり、他党の合計議席二一四を圧倒している。同年六月、社会党のブルムを首班に発足した人民戦線政府の閣僚は社会党及び急進社会党から出ており、共産党は閣外協力の方針をとった。

ブルム人民戦線戦政府の下、労働者の有給休暇に関する法律と週四〇時間労働制を定める法律が制定された。中産階級を意識し、公務員の給与と退役軍人の恩給を引きあげる措置もとられた。さらに公約どおり小麦の価格を安定化させるための小麦公団を設立する法律が採択され、義務教育年限を一三歳から一四歳に一年延長する法律と小学校教員を増員する法律も可決された。こうして改革が実施されていったとはいえ、短期間にフランス経済を回復させるのは容易な課題ではなかった。財政的な困難に直面した一九三七年二月、政府は人民戦線の共同綱領の実施を一時停止する。さらに政府に打撃となったのは、スペイン人民戦政府への支援をめぐる内部対立である。スペイン内乱のいずれの側も援助せず戦争に巻き込まれるのを避ける政策は、急進社会党などによって支持された反面、社会党、共産党などからは激しく非難された。求心力を弱めたブルム首相は、ついに三七年六月、財政問題で議会の信任を得られなかったことを理由に辞任した。

しかし、人民戦線政府が実現した労働時間の週四〇時間制、夏期の二週間長期休暇と余暇レジャーなどは、労働者の生活と文化に大きな変化をもたらした（渡辺二〇一三）。それに劣らず重要だったのは、社会主義諸勢力が協力し社会改革を実行できたという政治的な記憶である。ドイツ占領下に成立したビシー政権は、そうした記憶を恐れたが故に人民戦線政府関係者を逮捕し弾圧したし、占領に対する抵抗運動を組織した勢力は、国民戦線という言葉で人々の結集を呼びかけた（ジャクスン一九九二）。戦後の左翼連合政権にも、そのような記憶の継承を見てとれる。

戦前日本の社会主義運動と社会政策

戦前日本の社会主義運動は、西欧の運動のような大きな力を持つことはなかった。西欧の経験を参照しながら近代化を進めた日本では、近代的な経済の発展にともなって生まれる社会主義思想についても早くから政府当局が警戒し厳しく規制を加えた。一方、社会主義思想の影響を防止する観点から、工場法や各種の社会福祉制度をはじめとする社会政策も戦前から施行された。

一八九七年、アメリカで労働運動を経験して帰国した片山潜、高野房太郎らが労働組合期成会を設立すると、三年後の一九〇〇年には治安警察法が制定され、一九〇一年に結成された社会民主党は、結成と同時に禁止された。ただし同じ年に結成された社会主義協会は、思想宣伝にとどまることを条件に容認され、一九〇三年には平民社が設立された。一九〇六年には規約に「国法の範囲内に於て社会主義を主張」することを明記した日本社会党が結成され、一年余り活動を続けている。しかし、直接行動も求める主張が台頭し「社会主義の実行を目的」とすると規約が改正されると、政府はそれを口実に治安警察法を適用し、同党に解散を命じた。その後、ある程度の基盤を持つ社会主義政党が幾つか結成されたとはいえ、一九二〇年代末のピーク時でも社会主義諸政党の国会議席数は一割に満たなかった。

一方、一八九七年、ドイツの学界にならって設立された社会政策学会は、社会主義思想の蔓延を防止する立場を標榜し、政府に社会政策の制定を働きかけた。戦前日本の社会政策の根幹に位置したのは、一九一一年に制定され一六年から施行された工場法である（風早一九四九）。工場法は、児童労働の規制、女性労働者の保護、安全衛生のための行政監督の仕組み、労災に関する事業主の扶助責任などを定め、戦後改革の中で四七年に制定される労働基準法の前身となった。労働組合の工場法期成運動などもあったとはいえ、工場法の制定に最も力を入れたのは、労資間対立が激化し社会主義運動が広がるのを恐れた政府の側であった。イギリスの工場法などをモデルにした最初の法案が議会へ提出された一八九七年以降、紡績業界の反対意見を受けて修正したり、全国的な工場調査の結果を反映させたりした末、ようやく制定されたものであった。

アメリカのニューディールの社会政策

恐慌からの脱出という期待を担い、アメリカに誕生した民主党ローズベルト政権は、ニューディールと呼ばれた一連の政策を推進していった（世史⑩１３１―１３３）。一九三三年、まず最初に着手されたのは、政府資金を投入し、銀行を救うことである。失業者対策も急がれ、新設された公共事業庁の下で様々な公共事業が計画され、新たな雇用が創出された。テネシー川流域開発公社ＴＶＡによる大規模なダム建設・発電事業も、そうした狙いを込めた政策である。農業に関しては、農場信用庁を新設し農業金融の充実が図られ、価格安定をめざす農業調整法が制定された。中長期的な金融政策としては、大恐慌のきっかけになった投機的な証券取引を規制する証券法が三三年に制定され、翌年には証券取引委員会が新設された。やはり三三年に制定された銀行法は、銀行経営の健全性を確保するため、商業銀行と投資銀行の分離を定めている。さらに産業全般に対する基本的な立法として、三三年六月に全国産業復興法が成立し、企業の活動条件や最低労働条件が規制され、労働者の団結権と団体交渉権が保障された。こうして経済政策が先行した後、やや遅れて社会政策も着手された。三五年八月に制定された社会保障法は、健康保険を欠く限定された内容であったとはいえ、連邦レベルの養老年金制度や州レベルの失業保険制度の創設を含み、それまで個人の責任に任されてきた社会福祉政策に、ようやくアメリカも動き出したことを示している。

一連の政策は、政府資金を動員して社会経済を支えていく方向性を持ち、多かれ少なかれ社会主義的な性格を帯びたものであった。そのため、進歩的勢力や労働組合、農民層などからは強く支持された反面、保守的勢力からは非難を浴びた。元来、アメリカでは社会主義思想を支持する勢力は小さかった。一九三二年の大統領選挙をとれば、大勝した民主党のローズヴェルトが二二八二万票、敗北した共和党候補が一五七六万票だったのに対し、社会党候補は八八万票で、共産党候補は一〇万票余りにすぎない。左翼思想を持っていた二人のイタリア人移民が無実の罪で処刑されたサッコ・ヴァンゼッティ事件（二七年処刑）が示すように、反共主義の影響には根強いものがあった。そのような状況があったにもかかわらず、恐慌からの脱出をめざすローズヴェルト政権の政策は社会主義的性格を帯びたものになり、政権を支える政治勢力は一種の「人民戦線」的な意味合いさえ持った。この政権で働いていたニューディーラーと呼ばれる官僚の一部は、戦後日本の改革と日本国憲法の制定にも関わっていく。

第二次世界大戦期の総力戦体制、イギリスと日本

第二次世界大戦が激化するにつれ、イギリスでは、強大な軍隊を編成するとともに工場や鉱山をフル稼働させ、各種の建設工事も進めるため、大量の女性労働力が活用された。また戦時財政を支えるためとの理由で大幅増税が受け入れられ、累進課税によって高額所得者層の租税負担が増大した。一方、食糧補助金や家族手当制度の導入、戦時下での完全雇用と賃金上昇などがあいまって、低所得者層の実質的所得水準は上昇した。総力戦体制の構築を促した世界大戦は、イギリス社会の平準化を推し進める画期にもなった。

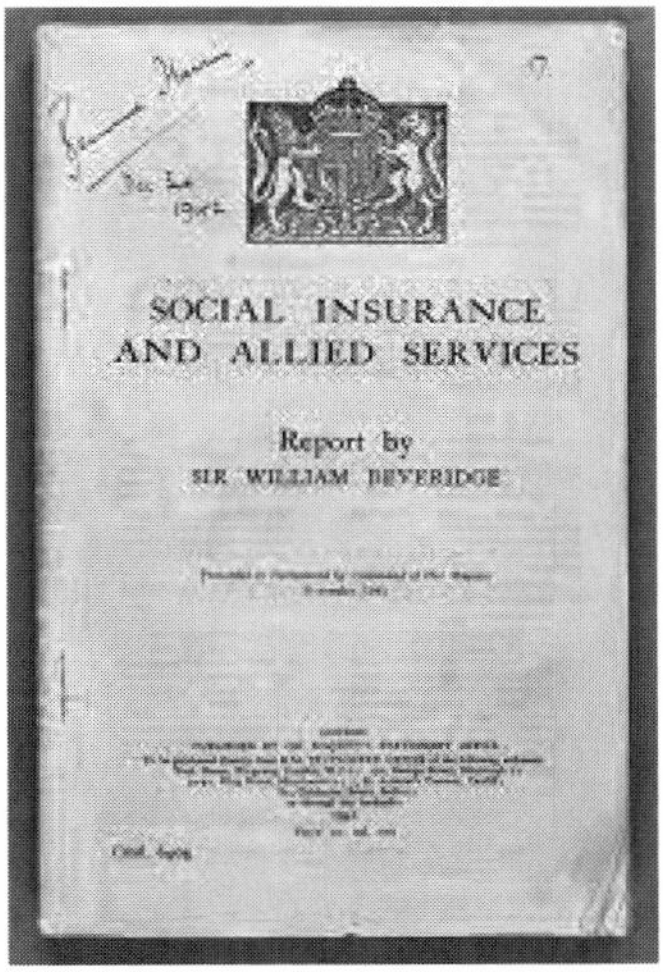

第二次世界大戦期の総力戦体制
イギリス　ベバリッジ報告（1942 年）

こうした社会変化を背景に、一九四一年、労働組合会議は、社会福祉制度の全般的な改革を求める要望書を提出した。それを受け、四二年一一月、かつて失業保険制度の創設にも関わったウィリアム・ベバリッジ（一八七九―一九六三）が『社会保険及び関連サービス』という報告書をまとめた。ベバリッジ報告は、国民全体をカバーする健康保険、失業保険、年金などの包括的な社会保険制度の下、最低生活費保障原則を貫き、

社会生活における物質的欠乏を根絶する構想を提起している（世史⑩２２１）。報告書は六〇万部を超える大ベストセラーにもなり、その実施に積極的姿勢を示した労働党、自由党に対する国民の支持が上昇した。それは大戦末期に行われた総選挙で保守党のチャーチルが敗北し、労働党のアトリー政権が誕生する最大の要因になっただけではなく、戦後イギリス福祉国家を築いていく直接の設計図にもなった。

総力戦体制の一環である国民総動員を通じ、女性の社会参加が促進され、社会保険制度の充実が図られるという流れは、他の諸国でもみられた。日本もその例外ではなく、社会政策の充実が戦時体制の下で進んだ。一九三八年一月、衛生行政の統一的な推進を図るために厚生省が創設され、同年四月には国民健康保険法が公布されている（七月施行）。その背後には、農村の救済を図る内務省と健康な兵員確保を求める軍部の意向が働いていた。さらに戦時総動員体制の構築が進む中、四三年には第一次国民皆保険と呼ばれる制度が成立している。これは戦争にともなう財政悪化で崩壊の危機に瀕したが、戦後の四七年六月、連合軍総司令部（ＧＨＱ）の指示の下、市町村による公営化、国庫補助の整備などの改革が行われ、再建された。労働者年金保険法が創設されたのも四一年のことであり、やはり戦後に継承されている。

第二次世界大戦後の福祉国家、イギリスとフランス

イギリスでは、第二次世界大戦末の選挙で労働党が大勝してアトリー労働党政権が成立し、ベバリッジ報告の構想を実現する大きな促進要因になった。六年数ヵ月に及んだ在任期間中、アトリー政権は、一九四六年に国民保険法、国民保健サービス法、四八年に国民生活扶助法などを制定し、「ゆりかごから墓場まで」といわれる福祉国家 welfare state への道を歩んだ（世史⑪30）。四五年八月から五一年一一月の間に恒久住

宅八〇万戸、臨時住宅十数万戸を建設し、戦災で住戸を失った国民に供給した。経済政策についてみると、石炭産業をはじめ重要産業の国有化が進み、高所得者層に重く課税する累進課税が導入され、完全雇用がほぼ実現した。

しかし冷戦下で多額の軍事費を支出するようになった一方、戦後におけるイギリスの国際的地位の低下や植民地の独立などを通じて収入は低下したため、イギリスの財政は逼迫していく。通貨ポンドへの信任が低下し、ポンド危機が常態化した。各地の民族運動に対する対応も難題であった。インドの独立承認は比較的順調に進められたものの、イランの石油国有化やエジプトのスエズ運河に対する主権強化をめぐり、アトリー政権は手詰まり状態に陥っていく。そして一九五一年、労働党政権は選挙に敗北し、崩壊した。

フランスでも戦後、女性が初めて参加した一九四五年の総選挙で、共産党が一六一、社会党が一四二と多くの議席を獲得し、一五二議席を獲得した人民共和運動との三党連立政権が誕生し、人民戦線政府時代に掲げられた政策を推し進めた。人民共和運動は、反ナチ抵抗運動に参加したカトリック関係者らが組織した政治団体でド・ゴール将軍の支持母体である。連立政権の下、電気、ガス、石炭、対独協力した自動車会社ルノーなどが国有化された。しかし、戦争の傷跡は大きく生産回復が遅れ、食糧危機と物価上昇が庶民の生活を直撃する。四七年、内閣の物価賃金政策に反対し、労働者のストを支持した共産党の閣僚が罷免された。さらに大学問題をめぐり社会党と人民共和運動も対立したことから、連立政権は崩壊した。

三党連立政権が崩壊した背後には、東西冷戦が始まる中、一九四七年に提起されたトルーマン・ドクトリンと欧州復興支援のマーシャル・プランがあった。前者の、共産主義勢力の影響を排除するという方針に従うことを条件に、後者の経済援助が示されたため、連立政権は逆境に立たされていた。四六年秋からインドシナで独立を求めるベトナムの民族運動との武力衝突が始まり、アフリカでも民族運動との関係が尖鋭化しつつあった。こうした中で行われた五一年の総選挙では、引き続き得票率のトップは共産党だったとはいえ、選挙後に組織された政権から共産党は排除された。

以上に見てきたように、戦間期にイギリスとフランスでは社会主義政党が政権を掌握した時期があり、社会主義的な政策も実施されていた。戦時期にそれは中断したとはいえ、第二次世界大戦直後、再び社会主義政党が政権を運営したり（イギリス）、政権に参加したり（フランス）した。

その後、東西冷戦が深まり民族独立の波が高まるにつれ、そうした動きは幕を閉じる。それにもかかわらず、イギリスの福祉制度やフランスの夏の長期休暇にみられるように、社会主義的な政策は各国の社会経済の在り方を大きく変え、福祉国家と呼ばれる状況をつくり出した。一九五〇年代から七〇年代初めまで続いた西欧諸国の経済成長は福祉国家の維持を可能にさせ、東西冷戦での西側の優位をもたらした。しかし七三年の石油危機以降、世界経済が全般的に落ち込む中で、八〇年のＯＥＣＤレポートは「福祉国家の危機」を論じざるを得なかった。八〇年代以降、西欧諸国の社会主義もさまざまな見直しを迫られる。

日本国憲法と社会権

日本では戦後改革期に制定された日本国憲法が、国民の政治的権利とともに社会的経済的な権利も明記し、資本主義の弊害から人々を守る行為を国家に求める社会権を具体的に規定した。憲法第二五条は、「すべて国民は、健康で文化的な最低限度の生活を営む権利を有する」と記した上で、「国は、すべての生活部面について、社会福祉、社会保障及び公衆衛生の向上及び増進に努めなければならない」としている。また

第二七条には「すべて国民は、勤労の権利を有し、義務を負ふ」と記され、国に対し国民へ勤労の機会を提供すべき政治的義務を課した。政府によって社会主義運動が抑圧されてきた日本で、憲法の中にこうした社会主義の理念に通じる社会権の規定が盛り込まれた背景には、憲法の制定過程が深く関わっている。

GHQは、戦後改革の礎石となる新憲法の制定を日本に求めた。そこで政府でも民間でも様々な憲法草案の作成が進められた。しかし一九四六年二月一日、新聞が報じた政府案が旧態依然たるものであったため、驚いたGHQは当初の方針を変更し、同月三日、民間の案なども参照しながら自ら憲法草案の作成に着手し、一三日、戦争放棄や基本的人権の規定をおりこんだ案を日本政府側に示した。その進歩的内容に政府は驚愕したものの、結局、それを受け入れ、三月六日に発表した。世論はこの草案を支持し、その後の国会審議を通じて国民主権が明示され、社会権に関する規定も追加された。こうして憲法第九条の平和主義、国民主権、基本的人権などの規定を含む日本国憲法が成立した。

このような憲法が成立したのは、けっして偶然ではない。戦前来の社会主義運動の影響と戦後の内外の情勢の下で、改革を進める新憲法に対する国民的な期待が存在した。加えて、ローズヴェルト政権下のアメリカの社会経済政策に通暁《つうぎょう》したニューディーラーといわれる人々が占領軍の憲法草案作成に関わったことが重要な意味を持った。第一四条「法の下の平等」、第二四条「両性の平等の原則」の条文を作成し、女性の権利確立に貢献したベアテ・シロタ・ゴードンの名はよく知られている。そして、工場法や国民皆保険制度にみられるように、戦前の社会政策と戦時体制の構築を通じて、ある程度まで社会権に対応する制度が形成されていたことも、もう一つの条件になった（雨宮二〇〇八）。

四、東欧、中国、朝鮮北部の社会主義化と冷戦

第二次世界大戦における連合国の勝利が明らかになった一九四五年六月二六日、国際連合憲章に五〇ヵ国が署名し、平和と国際協調は確固とした基礎を据えられたように思われた。しかし、それから一年も経ずして冷たい戦争と呼ばれる状況が生まれる。なぜ、東西冷戦は、始まったのだろうか。なぜ各地にソ連型社会主義が広がって「東側」諸国が形成され、なぜ米英など「西側」諸国はその拡大を恐れたのか。

ソ連軍占領下の東欧諸国

大戦が終結した時点で、東欧諸国には、ファシズムに協力し独裁的な政治体制を維持した勢力、そうした動きに抵抗し外国へ逃れた勢力、国内でファシズムと戦った抵抗勢力（レジスタンス）など、様々な政治勢力が存在していた。一九四四年七月に戦後政権の母体となる国民解放委員会が設立されたポーランドと四五年一一月に自由選挙が実施されたハンガリーの場合、ソ連の政治的な影響力は限定されていた。ポーランド国民解放委員会の委員一五人の中で共産主義者は四人に過ぎなかったし、ハンガリーの選挙での勤労者党（共産党）の得票率は一七％にとどまる。一方、ルーマニアとブルガリアでは、ソ連に支援された政党が実権を握った。ルーマニアでは共産党を中心とする統一ブロックが四六年一二月の総選挙で七割以上の得票を得ており、ブルガリアでも同年一〇月の選挙で祖国戦線が圧勝し、労働者党（共産党）のディミトロフが首相となった。両国はファシズム陣営に加わって敗戦国となり、大戦末期にソ連などと休戦協定を結んだ結果、ソ連が強い影響力を持った。それに対しチェコスロヴァキアでは、亡命政府以来の大統領ベネシュらが「集産的社

会主義」というソ連型社会主義とは異なる独自の戦後構想を抱いて政権運営にあたり、共産党などにも柔軟に対応していた（林一九九二）。このような中にあって、ユーゴスラヴィアとアルバニアでは共産党を中心とする反ファシズム抵抗運動が大きな力を持ち、戦後も自ら政権を組織し、いち早く独自の社会主義化政策を推進した。

色合いが様々に異なる東欧地域について、一九四五年二月のヤルタ会談は、戦況の推移を踏まえ、ソ連の優越的な地位を認めていた。そのソ連自身が抱いていた戦後構想の要は国際平和と自国の経済復興であり、それに必要な国際環境を整えることが目標とされた。ソ連の外交担当者がまとめたマイスキー覚書は、最優先の課題は平和の構築にあるとし、経済と安全保障の両面から対英米関係を強化することを主張している。平和と経済復興は、すでに述べたように第一次世界大戦の中でソヴィエト国家が生まれて以来、一貫して追求されてきた価値にほかならない。ソ連が、大戦終結直後に東欧に期待したのは、民族戦線（国民戦線とも訳される）に基づく人民民主主義政権の樹立と友好関係の確立であり、社会主義国家の樹立だったわけではない（吉岡二〇一七）。民族戦線は、戦前の人民戦線（第二章三参照）を継承し、平和と経済発展をめざす政治勢力が結集したものとされ、ソ連とも英米などとも良好な関係を築くことが期待されていた。

しかし英米の政治指導層は別の眼差しで見ていた。西欧諸国に左翼政権が成立して共産党が入閣し、ギリシア、トルコ、中東、東南アジアなどでも社会主義勢力が影響を広げる下、ソ連は今や東欧を完全に支配しようとしていると判断したのである。すでに一九四六年三月五日、英前首相チャーチルは、米ミズーリ州フルトンで、ヨーロッパは「鉄のカーテン」で二分されていると演説していた（世史⑪34）。四七年三月一二日には米大統領トルーマンが、世界に向け、「自由か、それとも自由の抑圧かという生活様式の選択」が迫られていると宣言し、ソ連と対決する姿勢を鮮明にした（世史⑪35）。フランスやイタリアの政権から共産党の閣僚が排斥され、多くの国民がそれを支持したのは、直接の理由は各国の国内事情であったにせよ、以上のような国際情勢も反映していた。五月二八日、米国務長官マーシャルは大規模な復興構想マーシャル・プランを明らかにし、七月にはそれを協議するヨーロッパ経済復興会議が開かれた（世史⑪36）。その支出額は四八―五一年に一三二億ドルに達する。英米など一二ヵ国は四九年四月四日、軍事同盟である北大西洋条約機構（NATO）も発足させた（世史⑪42）。

一連の動きに危機感を抱いたソ連は、一九四七年九月、「ヨーロッパ共産党・労働党情報局（コミンフォルム）」を結成し、戦後世界には「帝国主義的反民主主義陣営」対「反帝国主義的民主主義陣営」の構図が現れた、との認識を示した[3]（世史⑪37）。英米側の冷戦的思考を受け、ソ連側が示した冷戦的思考である。共産党の連携相手を親ソ的な左派勢力に限る方針が提起され、東欧での民族戦線戦略は実質的に放棄された。四八年二月には、一党独裁から最も距離を置いていたチェコスロヴァキアでも政変が起き、共産党が実権を握る政権が誕生した。東欧の経済体制も変化した。ハンガリーやポーランドの人民民主主義政権がソ連と結んだ通商協定は、ソ連への低価格での石炭供給やソ連に有利な合弁企業設立などソ連の経済復興を助ける内容を含んでいた。当初、アメリカ主導のヨーロッパ経済復興会議に参加する意思を見せたチェコスロヴァキアは、ソ連の強い圧力に屈し、会議出席を断念した。東欧諸国とソ連との経済的な結びつきが強化され、ソ連型社会主義の経済体制が導入されていく。ルーマニアを例にとると、一九四八年六月に銀行、工場、運輸部門などの全面的な国有化が決定され、四九年末までに対外貿易が統制下に置かれ、五〇年末に最初の五ヵ年計画が制定された（上垣一九九五）。東欧経済は、四九年一月に設立された経済相互援助会議（コメコン）の下に置かれ、五〇年に勃発する朝鮮戦争以降はソ連の指示で重工業生産目標が引上げられ、いよいよソ連型社会主義に進まざるを得ない状況に追い込まれていく（世史⑪41）。ここにいたり、東欧の人民民主主義政権は、政治的にも経済的にもソ連型社会主義の政権になった。

東西冷戦が深まる中、アメリカや日本では、社会主義に対する恐怖を煽り、そうした思想を抱くとされた人々を政府や大学から追放する動きが広がり、思想・学問の自由を制約するとともに、冷戦期の民衆意識を形成するものになった（コラム「レッドパージ、マッカーシー旋風、思想改造」一六六頁参照）。一方、この時期、東欧とは異なる過程を経て、朝鮮半島北部と中国大陸にもソ連型社会主義が出現した。

戦後中国の政治変動

大戦終結直後の中国では、抗日戦争を勝利に導いた国民党政権の権威が高まった。しかし、そのわずか四年後、国民党の大陸統治は崩壊し、共産党の主導の下、新民主主義を掲げた中華人民共和国が一九四九年一〇月一日に成立する（世史⑪9）。ソ連型社会主義は、この時点では姿を見せていない。何が起きたのか。

国民党は、当初、自らの下に諸勢力を結集し、戦後復興をめざす新政権を樹立しようとした。一九四五年九月、国民政府主席蔣介石は最大野党共産党の毛沢東を重慶に招いてトップ会談を開き、四六年一月に開かれた政治協商会議には、国民党八人、共産党七人、中国民主同盟九人など三八人が参加し、政権構想の具体化を進めた。しかし各派の主導権争いが激化し、同年三月の国民党の会議では共産党を排除する方針が採択され、国民党に批判的な知識人が暗殺される事件も続いた。世論から非難を浴び孤立した国民党は、同年一一月、共産党などが欠席する中で憲法制定国民大会の開催を強行し、さらに孤立を深めていく。

国民党の政治的な孤立は、経済政策の破綻とあいまって進んだ。戦災で鉱工業生産が打撃を受け流通ルートも分断されていたことから、戦後の中国経済にはモノ不足と物価上昇が生じていた。その中でアメリカ主導の自由主義的国際秩序への対応を迫られ、一九四六年春、貿易を自由化したため、輸入が増え国内産業の復興を妨げた。生産が回復しないのでモノ不足は解消せず、物価はさらに高騰し政府財政を直撃した。政府が当座しのぎに紙幣を増発したため、異常なインフレーションが生じ、四七年の通貨発行量は前年の八・九倍に、物価上昇率は一四・七倍にもなっている。戦後の通貨再統一をめぐる混乱も加わり、経済の破綻と生活の困窮化は、政権に対する国民の支持を一挙に失わせた。一方、国民党政権が切望していた国際的な経済支援は、冷戦の影響で貧弱なものになった。ソ連の世界的な影響力拡大に危機感を抱いたアメリカは、西欧復興と連合軍占領下の日本復興に力を入れ、中国に対する援助を後回しにした。ようやく一九四八年に議会が承認したアメリカ独自の対中国援助は四億六三〇〇万ドルであり、西欧復興のマーシャル・プランの額に比べ、極めて少ない。国際連合救済復興機関（アンラ UNRRA）の対中援助も四六―四八年総額で四億三三〇〇万ドルにとどまり、日本からの戦後賠償は微々たる規模に終わっている（第二章六参照）。

国民党政権は軍の統合にも失敗した。終戦直後の構想は、四三〇万人の国民政府軍の中に、一二〇万人の共産党軍を統合し、「国軍」化することであった。しかし、共産党軍は独自の組織と指揮系統を維持してソ連軍占領下の東北に集結し、日本軍が遺棄した武器で装備を強化した。両軍の間で武力衝突が始まると、当初は優位にあった国民政府軍が一九四七年夏頃から逆に劣勢に陥り、一九四八年秋以降、総崩れとなった。

国民党政権の大陸統治が崩壊し、台湾だけを統治する存在に追い込まれる決定的な要因となったのは、政治的孤立、経済破綻、軍事的敗北が重なる中、安定した支持基盤を創出できなかったことである（久保二〇一二)。一方、共産党は、権利を守り生活を豊かにする新民主主義――人民民主主義と同義とされた――の実現を呼びかけるとともに、社会主義は遠い将来の目標であるとも表明し、様々な政府批判勢力の結集に成功した。農村部では、戦時に日本軍へ協力した地主の土地を没収し農民に分配する政策が実施され、農民の支持を集め共産党軍の募兵を助けた。[4]戦場でも国民政府軍の将兵らへの政治的な働きかけが重視され、共産党軍が戦わずして勝利することも多かった。

こうして新民主主義を掲げて発足した共産党政権は、そのわずか五年後、社会主義をめざすと宣言するに至る。その理由を理解するためには朝鮮半島に目を転じなければならない。

朝鮮半島の分断と朝鮮戦争

第二次世界大戦の後、朝鮮半島は南北に分断された。なぜ分断が生まれ、なぜ北は社会主義に向かい、南は資本主義の道を歩み続けたか。

植民地時代、総督府によって一元的に統治され、民衆の政治参加が許されていなかった朝鮮では、日本の敗戦によって、突然、権力に空白が生まれた。一九四五年八月九日、日本に宣戦布告し満洲などへ一斉に侵攻したソ連軍は、朝鮮半島全体も占領する勢いを見せた。それを警戒し、半島南部は確保しようとしたアメリカが、八月一三日、北緯三八度線で分割して占領することを提案すると、ソ連もこれを受諾した。八月に半島北部を占領したソ連が親ソ政権樹立の準備に取りかかると、アメリカもまた九月から半島南部に軍政を実施した(世史⑪11)(糟谷二〇二〇)。当時、朝鮮では新国家の体制を整え独立をめざす動きも活発化していた。しかし国際連合は、同年一二月、五年間の信託統治という「独立先送り」方針を決め、朝鮮の民衆から

朝鮮戦争で破壊されたソウル市内

強い反発を受ける。北部では一九四六年二月、北朝鮮臨時人民委員会が設立され、戦後ソ連から帰った金日成《キムイルソン》が委員長に就いて急進的な改革に着手した（世史⑪10）。一方、米軍政下の南部では左派勢力が弾圧され、同年一二月、李承晩《イスンマン》ら民族主義者の主導の下、南朝鮮過渡立法議院が設立された。こうして南北で別個の政治体制をつくる動きが進み、四八年八月、南部に大韓民国が、また同年九月、北部に朝鮮民主主義人民共和国が誕生した。

このような状況の下、一九五〇年六月二五日、北朝鮮軍が武力統一をめざして南部へ攻め入り、韓国軍と米軍は後退した（世史⑪50）。朝鮮戦争の勃発である。[5] 国連は北朝鮮を非難するとともに、北朝鮮軍を制止するため、米軍を主体とする国連軍を派遣する決議を採択した。ソ連は、この時、国連の会議に出席していない。同年九月、国連軍が仁川に上陸し北朝鮮軍を敗走させ中朝国境まで追い詰めると、一〇月、自国にも危機が及ぶと判断した中国軍が国境を越えて参戦し、北朝鮮軍を支援した（和田二〇〇二）。直接、部隊を戦場へ派遣することを避けたソ連も、制空権の確保をはじめ様々な形で北朝鮮軍と中国軍を助けた。戦線は五一年夏以降、北緯三八度線を挟み膠着状態に陥り、五三年七月二七日に休戦協定が結ばれ、分断は固定化した。

東西冷戦下の最初の大規模な「熱戦」となった朝鮮戦争は、他の地域にも大きな影響を及ぼした。米軍の巨大な出撃基地となった日本は、後述するように米軍用の大量の軍需物資を供給し、経済復興の歩みを早めるとともに、再軍備の道を歩み始めた。一方、先に述べたように東欧諸国ではソ連型社会主義の推進が加速され、戦時体制へ突入した中華人民共和国も、極めて大きな政策転換を迫られることになった。

中国の社会主義化

朝鮮戦争が中国に与えた最も大きな影響は、戦時体制の強化を通じ、ソ連型社会主義への道を歩み出したことにあった（久保二〇一一）。一九五〇年九月から教育機関や出版部門で政治思想教育を徹底する「思想改造」運動が広がった。同年一〇月から国内の治安を確保する「反革命鎮圧」運動が推進され、各地に残っていた反政府的な武装勢力が一掃された。さらに大きな意味を持ったのは、軍需生産で広がっていた政府・企業間の癒着や贈賄《わい》収賄《わい》行為をなくすため、五一年末から五二年にかけ展開された三反・五反運動である。反汚職、反浪費、反官僚主義を掲げた「三反」運動は経済財政官僚への統制と監視を強め、反贈賄、反脱税、反スパイ行為、反手抜工事、反公共財産窃盗を掲げた「五反」運動は、民間企業経営者への統制と監視を強めた。こうして、その後、商工業全般の国営化を実施しやすい条件が生まれた。

もう一つの大きな変化は、共産党指導部内の認識の転換である。朝鮮戦争で軍需工業の立ち遅れを痛感した指導部は、重化学工業化の推進に向け、輝かしい成果が喧伝されていたソ連型社会主義の実現を急ぐ考えに傾き、五二年一〇月、ソ連に相談して賛同を得た。農村に広がっていた情景も、ソ連型社会主義の選択を促す要因となった。土地改革で地主から土地を没収し農民に分配した結果、農民の新政権への支持は広がったとはいえ、零細農家が大量に生まれ農業生産は低迷した。その状況の打開に向け、ソ連のコルホーズをモデルに、農業経営を集団化し大規模にすれば増産が可能になると考えられた（実際の結果は違った）。

こうして、中国共産党の中央政治局は、一九五三年六月一五日、「一〇年から一五年で社会主義化を完成させる」という過渡期の総路線を決めた。五四年二月に開かれた共産党中央委員会（七期四中全会）で正式にその方針を採択し、五四年憲法にも中華人民共和国は社会主義をめざすことが明記される。商工業の国有化と農業の集団化を軸にソ連型社会主義をめざす速度が加速され、五六年初め、中国は社会主義化を達成したと発表した。次節で述べるように、スターリン批判が行われ、東欧諸国でソ連型社会主義に反対する民衆運動が起きる、まさにその年のことである。危ういスタートを切ったというほかない。

第一次世界大戦がロシア革命を引き起こしソ連型社会主義を生んだ過程になぞらえるならば、第二次世界大戦が東欧諸国の人民民主主義政権と中国の一九四九年革命をもたらし、冷戦が始まる中で東欧と北朝鮮はソ連型社会主義の国となり、朝鮮戦争が中国へもソ連型社会主義をもたらしたことになる。各地の現実の政治情勢の進展と米ソ間の対立とが相互に連関しあう中で、東欧、中国、北朝鮮などにソ連型社会主義をめざす国家群が出現し、ソ連を中心とする東側陣営と米国・西欧・日本・韓国などの西側陣営の間で、東西冷戦と呼ばれる軍事的政治的経済的な敵対関係が続くことになった。この中で日本の戦後も展開する。

東西冷戦のなかの日本

敗戦直後の日本では、西欧諸国と同様、社会主義勢力の影響が広がった。女性も選挙権を得た新選挙法の下、一九四六年四月一〇日に行われた戦後初の総選挙では、社会党が九二議席、共産党が五議席を獲得し、戦前の社会主義諸政党の最高獲得議席数である三九議席を大きく上回った。しかし得票率は両党をあわせても二一・九％にとどまり、社会主義政党が政権を掌握した西欧諸国のような状況がみられたわけではない。新憲法下の社会経済体制をつくる戦後改革は、五月二二日に発足した自由・進歩両党連立の吉田茂内閣によってGHQの指示を受けながら進められた（雨宮二〇〇八）。四六年一〇月公布の第二次農地改革案、四七年四月公の労働基準法、同じく四月公布の独占禁止法、同年三月公布の教育基本法などがそれである。

だが、生産復興が遅れ生活難が増す中で労働運動が高揚し、一九四七年二月一日には全国規模のストライキまで計画された。ストは占領軍の指令で回避されたとはいえ、吉田内閣の支持率は低下した。四七年四月、新憲法の下で行われた総選挙の結果、第一党は議席数一四三の社会党となり、吉田の自由党は一三一議席で第二党に、新たに結成された民主党が議席数一二一で第三党になった。吉田は下野し、六月一日、社会党の片山哲を首相とする社会・民主両党などの連立政権が発足した。ソ連型社会主義ではなく西欧の社会主義を理念としていた片山にGHQも期待し、民法、刑法が改正され、警察制度、司法制度などの改革も進んだ。しかし、経済再建が進まず物価が再び高騰する中、片山内閣は急速に支持を失い、四八年二月に総辞職した。

一九四七年から四八年にかけ、アメリカの対日占領政策も転換した。日本の非武装化と戦後改革に力を入れてきた従来の姿勢が弱まり、激化する東西冷戦に対応し、アメリカのアジアの拠点として日本の政治の安定化と社会主義勢力の排除を図る方向性が明確になった。四八年一〇月、再び吉田茂が政権に復帰し、四九年一月の総選挙で吉田が率いる民主自由党（自由党と民主党の一部で結成）が二六九議席と過半数を制した。その後、六年余続いた吉田政権が、冷戦下の日本の進路を決めた。大陸との経済関係の重要性を理解していた吉田は、同年一〇月に成立した中華人民共和国との国交を模索した。だが、結局、アメリカの強い圧力の下、五二年四月、台湾の国民党政権（中華民国政府）と日華平和条約を結び、台湾との関係を優先させることに

レッド・パージ、マッカーシー旋風、思想改造

冷戦期には、西側諸国でも東側諸国でも政治思想を統制する動きが強まった。

一九五一年まで占領軍の統治下にあった日本では、五〇年六月、総司令部（ＧＨＱ）の指令によって共産党員が国会議員などの公職から追放され、多くの官公庁、新聞社、放送局や一般の民間企業にも同様の動きが広がった。すでに四九年七月から八月にかけ下山・三鷹・松川事件など共産党の孤立化を図る謀略が実行され（本文参照）、ＧＨＱの民間情報教育局（ＣＩＥ）顧問ＷＣイールズは、同年七月から各地の大学で「共産主義の教授は大学を去るのが適当」と演説して回っていた。レッド・パージ（「赤狩り」）の結果、一九五〇年だけでも一万三〇〇〇人を超える人々が解雇された（三宅一九九四）。戦前、社会主義思想が厳しく弾圧されていた日本では、戦後になっても国民の間に社会主義勢力に対する不安や警戒心が根強く残っており、占領軍の指令を機に、共産党員をはじめ社会主義者を排斥する動きが広がった。

アメリカでは一九三八年にナチズムなどの宣伝・スパイ活動調査を目的に設置されていた下院の非米活動委員会が、戦時から戦後にかけ、さまざまな社会主義者やリベラル派を議会に呼び出して「共産主義者」とのレッテルを貼り、国家機密の漏洩などで処罰するようになった。委員会の調査員にはＦＢＩの元職員が集まっていた。四五年一〇月には、アジア問題の専門誌『アメラシア』関係者が喚問され、四七年一〇月にはハリウッドの映画関係者が喚問された。さらに五〇年二月、共和党上院議員マッカーシーが講演で「国務省に勤務し、政策策定に関わる五七人の共産党員のリストを持っている」と発言す

ると、「共産主義者」摘発の動きが一挙に社会全体に拡大し、マッカーシー旋風が巻き起こった（世史⑪58）（陸井一九九六）。

マッカーシーは、告発対象を軍やマスコミ関係者、学者にも広げ、著名なアジア研究者であったオーエン・ラティモアまで議会へ喚問されている。この時に出回った「共産主義者リスト」には様々な偽証や事実の歪曲があった。しかし、朝鮮戦争が勃発し冷戦が激化する中、アメリカ国内は一種の「反共ヒステリー」状態に陥り、思想の自由が踏みにじられた。その後も、近代日本研究者であったカナダの外交官E・H・ノーマンが「共産主義者」との嫌疑で米議会で追及され、五七年四月に自殺する事件が起きている。非米活動委員会は、冷戦が緩和に向かった六〇年代後半以降、ようやく活動を停止し、七五年に廃止された。

一方、中国では、一九五一年五月以降、清代の民間教育篤志家を顕彰した映画「武訓伝」に「革命否定の改良主義」という批判が加えられたのを契機に思想・学術・文化・教育などへの統制が強まり、一九五一年九月からは知識人の「思想改造」と呼ばれる全般的な思想統制政策が始まった。大学で英語を学ぶことが制限され、ロシア語の習得が義務づけられるようになった。雑誌編集者だった蕭乾《しょうけん》は「大小の座談会が開かれ、くりかえし自分の改良主義を自ら厳しく批判した。フェビアン主義の大本営であるイギリスに留学した私は、何度も自己批判せねばならなかった」と回想している。全国の大学や研究機関、文化関係団体などに同じような情景が広がっていた。

日米の動きと中国の動きは、統制の対象となる政治思想こそ異なっていたとはいえ、思想の自由を保障しない点において、まさに冷戦時代の思考の産物であった。

労働運動弾圧の謀略の一つ、三鷹事件 (1949 年)

なった。一方、五〇年六月に朝鮮戦争（本章三参照）が勃発すると、日本全土が米軍を主体とする国連軍の出撃基地になった。米軍が必要とする綿布、毛布、建築用鋼材、有刺鉄線、トラックなどの「特需」を受注した日本は、五〇、五一年度通算で六億ドル強という巨額の米ドルを獲得し、戦後復興を急速に推し進めた。五〇年の輸出額が八億ドル余りだった日本にとって、特需の意味は大きかった（中村一九九三）。禁止されていた航空機、兵器などの生産も、アメリカの容認の下、五二年から再開された。米軍を補助する部隊として警察予備隊（五二年に保安隊、五四年に自衛隊に改組改称）が創設されたのも五〇年である。

一九五一年、アメリカの主導下で開かれたサンフランシスコ講和会議には、中華人民共和国政府も中華民国政府も招請されず、ソ連は非難演説を行って退席した。日本国内では、西側諸国とだけの講和に反対し、中ソなど東側諸国も含めた全面講和を求める平和運動が広がった。しかし吉田政権は反対を押しきり、五一年九月、サンフランシスコ平和条約に調印した。その結果、本土の独立は回復したとはいえ、沖縄や小笠原では占領が継続し、同じ日に調印された日米安全保障条約によって国内の米軍基地も存続することになった。

国内では吉田政権の緊縮財政がもたらした不況の中、労働運動が拡大した。これに対し、一九四九年夏、国鉄総裁の不審死（下山事件）、列車暴走事件（三鷹事件）、転覆事件（松川事件）が立て続けに起き、それを共産党関係者の行為だとして同党とその影響下の労働運動を弾圧する動きが生じた。裁判で逮捕者は全て無罪になり、一連の事件は弾圧の口実をつくる謀略だった可能性が高い。しかし政権は、労働運動や平和運動を強権的に抑え込む姿勢を強め、社会主義者を公職から追放するレッド・パージを推進した。こうした強権的な姿勢に対する批判が徐々に高まり、五三年、朝鮮戦争の休戦条約が結ばれ冷戦が緩和に向かったことも背景として、しだいに吉田政権は支持を失い、保守勢力の間ですら孤立するようになった。

一九五四年一二月、吉田退陣後の首相に就いた鳩山一郎はソ連との国交正常化に力を入れ、五六年一〇月、日ソ共同宣言が発表された。東側諸国との関係正常化も進んだことを受け、同年一二月、日本は国際連合に加盟することができた。中国との間では、すでに五二年六月に第一回日中民間貿易協定が締結され民間ベースの貿易が始まっていた。中国は、五〇年代前半、国際的孤立を打破し貿易拡大を図る狙いも込め、戦犯釈放、残留日本人の帰国促進など対日懸案の解決に努めている。国内では社会党の左右両派が五五年一〇月に統一を実現する一方、保守勢力も同年一一月に合同し自由民主党（自民党）を結成した。こうして対外的にも国内的にもある程度安定した「五五年体制」と呼ばれる政治状況が生まれた。対米従属的な軍事同盟色を強めた六〇年の日米安全保障条約改定問題が国論を二分したとはいえ、五五年体制を崩すことはなかった。

五五年体制の下、輸出が急速に伸び、電力、鉄鋼、造船、電気、石油化学などの設備投資も一斉に増え始めた。「もはや戦後ではない」（一九五六年経済白書）という言葉がもてはやされ、日本経済は成長の軌道にのった。五〇年代末から毎年春の賃上げ闘争（春闘）が恒例化し、六一年以降のベースアップ率はほぼ恒常的に二桁になった。経済成長下で生じる格差拡大への対策として、五八年一二月、新たな国民健康保険法が制定され、六一年には国民皆保険制度が確立した。また五九年四月に国民年金法が成立し，六一年四月に国民皆年金も達成された。国民皆保険・皆年金という社会福祉制度を可能にした国家財政は、戦後の経済成長が支えた。しかし、制度の内実には多くの問題が残されていた。一つは国民の負担が大きかったことである。高齢者介護などは家庭での女性の犠牲に頼っており、福祉の対象外に置かれていた。また中国への戦後補償を棚上げにしたことをはじめ、全体として戦後補償を極めて低額に抑えたことも、日本の福祉制度を可能にする一つの前提条件になっていた（第二章六参照）。

五、東西冷戦の展開と平和運動

冷戦の下、一九五六年にはスターリンが批判され、東欧諸国でソ連型社会主義に反対する運動が起きた。しかし、その後も東西間の対立は続き、深刻な危機が何度か生じた。平和運動の高まりもあって、東西両陣営が大規模に武力衝突する事態こそ回避されたとはいえ、インドシナ半島をはじめ各地で砲火が交わされ、多くの犠牲者が出た。その意味で「冷たい戦争」は必ずしも全貌を示す適切な表現ではない。

核軍拡競争とスプートニクショック

東西冷戦が始まった時、アメリカは経済力と軍事力によってソ連に対抗しようと考えていた。経済力は自由貿易体制とマーシャル・プランによって、そして軍事力は核兵器の独占によって支えられるはずであった。しかし、アメリカが一九四九年末までに二〇〇発以上の原爆を製造する間に、ソ連は、平和を求める国際世論を喚起しながら独自の核兵器開発にも力を注ぎ、同年八月、最初の核実験に成功した。五二年一一月、アメリカが水素爆弾の実験に成功すると、その九ヵ月後にソ連も同様の実験を行った。その後もソ連はアメリカとの核兵器開発競争にしのぎを削り、五七年には戦後ドイツから接収した技術を基礎に、核兵器を運搬する大陸間弾道ミサイルの開発に成功した。ソ連が同年一〇月に打ち上げた世界初の人工衛星スプートニク一号は、その高いミサイル技術によって、アメリカに衝撃を与えた（ギャディス二〇〇四）。

ただし、こうした軍事技術の研究開発と最新兵器の生産には多額の資金が必要とされ、ソ連に大きな経済的財政的な負担を強いた。そもそもソ連経済は、第二次世界大戦で甚大な被害を受け疲れ切っていた。しかも戦後、工業の復興は進んだにもかかわらず、農業の復興は遅れた。農村には重い負担がのしかかり、国民生活の向上は後回しにされた。穀物生産は低迷し、農民の貧困化と都市への逃亡がもたらされた。こうしてスターリン時代の末期には、経済の立て直しが焦眉《しょうび》の課題になっていた。

一方、ソ連型社会主義の道を歩んだ東欧諸国は、当初、比較的順調に経済復興を進めた。農業の集団化と工業の国営化が実施され、鉄鋼業、機械工業などの重化学工業を中心に中央集権的な計画経済が推進された。しかし、生活向上を後回しにされた民衆の間に不満は潜在し、時にそれは表面化した（松戸ほか編二〇一七）。一九五三年五月末、チェコスロヴァキアでは、賃金の引き下げをもたらす通貨改革に反対運動が起きた。同年六月には東ドイツで、賃金を据え置いたまま労働量を増やすことに抗議するストライキが広がった。農業集団化に対する農民の抵抗が大きかったポーランドでは、集団農場が占める比率は一割以下にとどまった。

スターリン批判とハンガリー事件

　独裁者スターリンが一九五三年三月に死去した後、ソ連では、社会経済に対する統制を緩和し、ある程度まで人権と民主主義を回復する措置がとられるようになった。無断欠勤など軽微な理由で拘留されていた囚人のうち、五三年三月から五八年九月までに釈放された者は約四一二万人に達した（松戸ほか編二〇一七）。古参党員や知識人の間で、スターリン時代を見直し、個人崇拝を批判する動きも進んだ。

　こうした中でソ連共産党第二〇回大会が一九五六年二月に開催された。二月二五日、非公開の代議員会議で報告に立ったフルシチョフは、スターリンの粗暴な性格と個人崇拝、独善的な政治指導、不当な大量弾圧などを細かく具体的に指摘し、批判した[6]（世史⑪61）。スターリン批判は、ソ連型社会主義の全般的な改革を進める契機にもなり、重化学工業偏重を改め、消費財を提供する軽工業と農業を発展させ、生活水準の向上を図ることがめざされるようになった。大会後に首相となったフルシチョフは、党内の慎重論を押し切り、経済管理機構の改革や酪農製品の増産を推進する。

民衆を威圧するソ連軍戦車、ハンガリー事件 (1956 年)

　スターリン批判は、東欧諸国の人々にも大きな衝撃をもたらした。一九五六年六月、ポーランドの古都ポズナンで、食品価格の引き下げや結社の自由を求めて多数の労働者がデモ行進を行い、それに同調する動きが全国に波及した。ソ連駐留軍の撤退が要求され、治安当局との衝突も拡大していく。ソ連のフルシチョフは急遽ポーランドを訪れ、ポーランド共産党のゴムウカと協議を重ね事態を沈静化させた。

ハンガリーでは、さらに劇的な事態が展開した。一〇月、ハンガリー作家協会と学生団体が呼びかけた集会の参加者は、首都ブダペスト中心部にあった巨大なスターリン像を引き倒し、ソ連軍の駐留に反対し政治的自由を求めた（世史⑪62）。各地に同様の動きが波及し、民衆は武器庫と警察署を押さえ、軍の一部も反乱に加わった。新任のナジ首相はソ連から若干の妥協策を引き出したが、もはや遅すぎた。反乱を起こした民衆は、共産党の建物や治安機関を襲撃する。事態に介入したソ連軍とハンガリー民衆の間で流血の事態が生じ、結局、ソ連軍によって反乱は鎮圧された。責任を問われたナジ首相を含め、二三〇人が処刑された。

スターリン批判とハンガリー事件の結果、日本も含め西側諸国の共産党は大きな打撃を受け、その一部は二度と民衆の支持を回復できなかった。一方、東欧諸国ではソ連に対し反乱を起こしても勝利するのは難しいという意識が広がり、漸進的な改革に期待する傾向が支配的になった。東欧諸国の政権側も事件に学んで民衆生活の改善につとめ、旅行の自由などは認めるようになった（ウェスタッド二〇二〇）。

平和共存の中のベルリン危機、キューバ危機、ベトナム戦争

スターリン批判は、平和共存の道も開く。すでに一九五五年、ソ連は、東欧圏の軍事同盟であるワルシャワ条約機構を設立する（世史⑪46）一方、オーストリアから撤退する条約[7]に調印し、西ドイツとの外交関係も樹立していた。米ソ間で相手の勢力圏を尊重し、直接の軍事対決を避ける合意が成立しつつあった。翌年の第二〇回党大会でフルシチョフが述べる「実際にあるのは二つの道だけ、平和共存か、史上最も破滅的な戦争かのいずれかである」との認識に基づく政策が、すでに実施されつつあった（ギャディス二〇〇四）。

とはいえ、平和共存は絶えず動揺し、世界は何度も核戦争の危機をくぐった。最初の危機は一九六一年にベルリンをめぐって起きた。四九年、米英仏の占領地域に西ドイツ（ドイツ連邦共和国）が、またソ連の占領地域に東ドイツ（ドイツ民主共和国）が樹立された時、ベルリンのみは四ヵ国によって占領され、東ドイツの中に残された（世史⑪43）。しかし、六一年八月、東ドイツはベルリンの米英仏占領地域とソ連占領地域の境界線に沿って壁や鉄条網を設置し、人々の往来を制限した。道路も、地下鉄も分断された。「ベルリンの壁」の構築である（世史⑪64）。それまで東ドイツの人々は自由にベルリン市内を移動でき、ベルリンと西側諸国との往来も自由だったので、ベルリンを経由し東ドイツから西ドイツや他の西側諸国に赴くことが可能だった。六一年までの間に東ドイツの六分の一近い人々がこの径路を利用し、西ドイツや他の西側諸国に移り住んでいた。壁によって、東ドイツはそうした出国者の波を押さえようとした。壁の構築は東西対立を激化させ、同年一〇月には検問所で米ソ両軍の戦車が睨み合うほど、事態は険悪化した。しかし、そこまでであった。米ソ両国とも、それ以上に対立を強め戦争を始める意志は持っておらず、壁は残されたが、危機は回避された[8]。

一九六二年一〇月にはキューバへのソ連のミサイル配備計画をめぐって危機が起きた。カリブ海に浮かぶ島国キューバでは、貧困を放置しアメリカへの依存を強めた独裁政権に対し、フィデル・カストロが率いる革命運動が広がり、五九年一月、革命政権が樹立された（世史⑪82）。新政権がアメリカ資本の製糖会社の土地を国有化したことに対し、アメリカはキューバからの砂糖輸入を制限する措置をとった。大きな経済的打撃を受けたキューバは、ソ連からの援助に頼ってアメリカに対抗しようとする。これに対しアメリカは、六一年四月、カストロ政権に反対する亡命キューバ人を支援し、政権転覆をめざす侵攻作戦を試み失敗した。

その結果、政権に対するキューバ国民の支持はむしろ強まる。そうした状況を踏まえ、ソ連はキューバへの核ミサイル配備を計画した。そうすれば、ソ連国境に近いトルコ領内に核ミサイルを配備していたアメリカに対抗できると考えたのである。それに対しアメリカは、一〇月二二日、ミサイル配備を断念するようソ連に要求するとともに、海軍の艦艇を動員し、キューバに向かうソ連のミサイル輸送船に停船を命じた。世界全域で米ソ両軍が戦闘即応体制に入った（世史⑪65）。各地にパニックが広がる。交渉が続き、緊張が日々高まる一週間が過ぎた後、一〇月二八日、ソ連のミサイル配備断念と引き替えに、アメリカもトルコに配備された核ミサイルを撤去し、キューバに侵攻しないことを確約するという合意が米ソ間で成立し、ようやくキューバ危機は去った。

一方、ベルリン危機とキューバ危機が米ソ間の一時的な緊張で終わったのに対し、一九六〇年代半ばから激化し七〇年代まで続いたベトナム戦争は、中ソ両国も巻き込み複雑な展開を見せた。一九五四年のジュネーブ協定によって独立の国際的承認を得たベトナム民主共和国（北ベトナム）は、ソ連型社会主義をモデルに国家建設を進めるとともに、ベトナム共和国（南ベトナム）の革命運動支援にも力を注いだ。政治体制が不安定で、社会経済の改革も進まなかった南ベトナムでは反政府運動が拡大し、六〇年一二月、南ベトナム解放民族戦線が結成され、反政府武力闘争を始めた。一方、北ベトナムの動きを察知したアメリカは、南ベトナム軍の強化を図って多数の軍事顧問を派遣し、その数は、六三年までに一万六〇〇〇人に達した。だが六三年一一月、クーデタで政権が交替するなど南ベトナムの政情はいっそう不安定化していく。危機感を強めたアメリカは、六四年八月、トンキン湾事件という謀略を口実に北ベトナムに対する空爆（北爆と略称）を実施し、北ベトナムに圧力を加えた。「ベトナム沖のトンキン湾でアメリカ軍の駆逐艦が北ベトナム軍の水雷艇に攻撃されたため、それに反撃した」と当時は説明されたが、それがアメリカ側の挑発に由来する事件であったことは、その後、アメリカ政府自身の内部文書によっても確認されている。アメリカは、六五年以降、地上部隊を送って南ベトナム軍を支援するようになった。派遣された米軍は六八年に五四万人という規模に達したにもかかわらず、南ベトナムの政治的軍事的な安定は実現せず、戦争は泥沼化した。

だが北爆の激化とベトナム戦争の泥沼化は内外で強い批判を浴び、世界各地にベトナム戦争に反対する平和運動が広がった(次項参照)。また、警戒を高めたソ連と中国がアメリカに対抗して再接近する状況が生まれ、六五年三月末には、軍事物資を積んだ列車を、ソ連から中国経由でベトナムに向かわせることも取り決められた。同年六月から中国軍は北ベトナムへの派兵を始めた。以後一九七〇年までに延べ三二万人が派遣され、防空作戦や道路・鉄道などの修築に従事した。一方、米占領下にあった沖縄や日本本土の米軍基地は、米軍の出撃拠点になり、韓国やオーストラリアは南ベトナムへ派兵し米軍を助けた。こうしてベトナム戦争は、文字どおり東西対決の焦点になった。

しかし大義のない戦争と犠牲者の増大に対する内外の批判は増し、ついにアメリカは北爆停止に追い込まれ、戦争からの出口を探るようになる。一方、文革の混乱で発展が立ち遅れ、ソ連との対立に危機感を深めていた中国は、アメリカとの関係改善に動き出し、米中和解という構図が生まれた(次項参照)。これはベトナムにとって後方支援の大きな揺らぎにほかならない。アメリカとベトナムの双方に弱みが生まれ、歩み寄りが図られ、一九七二年一〇月、和平合意が成立した。ベトナム戦争は、冷戦期に東西の両勢力が激突する凄まじい「熱戦」になった末、ベトナムの民衆と国土に甚大な犠牲を出して終わった。米軍撤退後の七五年四月三〇日、北ベトナム軍の全面攻勢を受けて南ベトナム政府が倒壊し、ベトナム全土は統一された。

ベトナム戦争の間も、米ソが直接戦火を交わす事態は回避され、核兵器制限交渉は続けられ、国際連合は軍縮総会を開催した。そうした面をみるならば、この時期を冷戦の時代と呼ぶのは可能かもしれない。しかし、ベトナム戦争のように多くの死傷者を出す「熱戦」が、アジア、アフリカ、ラテンアメリカなどの各地で起きていたことも、そして日本がそれに関わっていたことも忘れるわけにいかない重たい事実である。

世界に広がった平和運動、日本の運動

冷戦期に核戦争が勃発するのを阻止した要因の一つは、世界中に広がった平和運動であった。大戦の惨禍を経て平和への願いが一段と痛切になっていたことを背景に、日本を含む世界各国で、核戦争に反対し核兵器の禁止を求める平和運動が広がった。運動の端緒になったのは、一九四九年四月、ソ連、東欧、西欧の平和団体を中心にパリで開かれた平和擁護世界大会である。当時、平和の擁護は自らの国益にもなるとみていたソ連は、平和運動を積極的に支援した。ただし被爆地広島、長崎では、占領直後からアメリカが原爆関連の情報を統制しており、批判を許していない[9]。五〇年三月、スウェーデンのストックホルムで開かれた平和擁護世界大会常任委員会は、核兵器の使用禁止と国際管理を要求するアピールを採択し、全世界の人々へ賛同署名を呼びかけた。このアピールには、日本で集まった六四五万人分を含め、世界中から五億人分の署名が集まり、アメリカなどの核兵器の使用を強く牽制する力の一つとなった。

一九五四年三月一日、日本の漁船がアメリカの水爆実験で被爆する衝撃的な事件が起きた。太平洋上のビキニ環礁でアメリカが水爆を爆発させた際、一六〇キロ離れた海上で操業していた遠洋マグロ釣り漁船第五福竜丸が死の灰を浴び、乗組員二三人全員が被爆（うち一人は半年後に死亡）した事件である。ほかに

日本でも始まった原水爆禁止署名運動（1950 年代）

も被爆した漁船は多かった。広島と長崎の悲劇が想起され、原水爆禁止を求める運動が日本各地で広がる。年末までに署名者の数は二〇〇〇万人に達した。こうした盛りあがりと国際的な平和運動との連携を背景に、五五年八月、広島で原水爆禁止第一回世界大会が開催された。この大会は、その後、毎年開催され、二〇二一年に発効する核兵器禁止条約につながる世界の反核運動の原点にもなった。ただし日本の原水爆禁止運動は、その後、ソ連や中国の核兵器開発をめぐる意見対立などから、被爆者団体など一部を除いて分裂し、内外への影響力を弱めている。

一九六〇年代から七〇年代にかけベトナム戦争をめぐって起きた反戦運動も、世界の平和運動史上に新たな画期を刻んだ。思想や信条の違いを越えた共同が進んだだけではなく、国境を越え、アメリカ、日本、ヨーロッパなど世界各地の平和運動が連帯した動きを見せ、ベトナムの人々ともつながる場面があった。軍事大国アメリカが小国ベトナムに軍事力で勝利できなかった事実は、こうした平和運動の広がりを抜きにしては理解できない。世界史上、初めて生まれた事態であった。

アメリカでの反戦運動は、当初、宗教者や学生、知識人などに限られていた。しかし、ベトナム戦争が泥沼化する中で、一九六七年から七〇年にかけ、リベラル派から急進的な左翼まで、様々な立場の人々が参加する大規模な運動となり、戦争を続けるアメリカ政府を困難な立場に追い込んでいった（油井二〇一九）。

ベトナム反戦運動、アメリカ

六七年四月の反戦集会参加者が全米で三〇万人だったのに対し、六九年一〇月にリベラル派が主催した戦死者を悼み平和を願うモラトリアム・デーの運動には全米で二〇〇万人が参加し、それに連帯する形で急進的左翼などが主導した反戦集会にも首都ワシントンで二五万人、サンフランシスコで一〇万人が参加している。

一方、ベトナム戦争に反対する日本の運動は、軍事同盟である日米安全保障条約に反対する運動と結びつき、さらにはアメリカの占領が続く沖縄の祖国復帰運動とも結びつく形で進められた。本土と沖縄にある米軍基地がベトナムへの出撃拠点になっていたという現実が、そのような性格をもたらすことになった。極東最大の米軍基地が置かれていた沖縄では、第二次世界大戦末期の沖縄戦で多くの犠牲を出した記憶があり、そうした平和運動と結びついて、日本への施政権返還を求める祖国復帰運動が高まっていた。この運動は、日米安保条約の廃棄が可能になる一九七〇年も意識して大きな盛りあがりを見せ、日米両国政府の交渉を経て一九七二年に返還を実現させている。さらに原水爆禁止を求める平和運動も、六〇年代前半にソ連の核実験に反対するか否かをめぐる対立から分裂が生じていたとはいえ、毎年八月の広島・長崎での国際大会を中心に継続されていた。

六、ソ連型社会主義の破綻

ソ連・東欧諸国のソ連型社会主義は、一九八〇年代末から九〇年代にかけ次々に破綻し、東西冷戦は終わった。中国などもソ連型社会主義から離脱する道を歩んだ。しかし、二〇世紀に一〇億を越える人々がソ連型社会主義の下で暮らした事実は重い。現在、わたしたちが立っている地点を確かめるためにも、ソ連型社会主義が破綻に追い込まれた過程を振り返っておくことが求められる。

中国の大躍進と文化大革命

スターリン批判とその後の事態に衝撃を受けた中国共産党指導部は、ソ連型社会主義の建設を慎重に進める方針を一九五六年九月の第八回大会で採択し、党外からの批判にも耳を傾ける「百花斉放、百家争鳴」を呼びかけた。当初は発言を控えていた人々も、五七年春頃から「共産党が何もかも牛耳り、党の天下になっている」、「生活水準に大きな格差がある」といった不満を次々に表明するようになる（世史⑪68）。しかし批判のあまりの高まりに驚いた指導部は、一転して再び統制の強化に乗り出した。五七年六月以降、共産党は、批判者を弾圧する反右派闘争を展開し、五〇万人以上の教員、科学者、芸術家などが「人民共和国を敵視し資本主義を支持する右派」とされ、責任ある地位を追われた。

一方、中国経済は、社会主義化が強行された当初から困難に直面していた。増産のための無理な操業で事故が多発し、さらに生産が低迷する悪循環すら生まれた。ソ連の支援を受け重化学工業の急速な発展が図られた反面、経済発展全体のバランスが失われ、人口の急増も影響し、一人当たりの生産量は低迷した。とくに食糧・生活用品を供給する農業や軽工業の不振が続き、一九五六年秋から翌年春にかけ、消費物資の不足を訴え待遇改善を求める動きが各地で見られた。農村では農作物売買の統制や労働者との生活格差に対する不満が広がり、一部の農民は協同組合（合作社）から脱退し始める。

こうした事態を前に、共産党指導部内では、ソ連型社会主義を一気に発展させようとする毛沢東らの急進的な主張が勢いを増し、五八年五月の全国会議で「大躍進」政策が採択された（世史⑪69）。工業の年成長率二六〜三二％、農業の年成長率一三〜一六％という異常に高い目標が掲げられ、設備を新増設しフル稼働させるとともに、簡便な製鉄（土法高炉）などに民衆を動員し、集団農業を大規模化する熱狂的な雰囲気が醸しだされた。平和共存を掲げるソ連との対立が深まり、その支援が途絶えたため、独自の力で国家建設を加速しようとした面もある。しかし、目標は達成できずに終わった。土法高炉製の鉄には不純物が多く強度を欠いた。人民公社と呼ばれた一万戸規模の集団農場は、個々の農家の勤労意欲を失わせ、むしろ生産性を引下げた「大躍進」期に推奨された「深耕密植」も失策であった。華北平原を深く耕すと、アルカリ分の多い土が表層に出て土質が著しく悪化し、農作物の収量は減少した。密植された稲田は風通しが悪く、病虫害の蔓延を招いた。。増産を追求した無理な操業時間延長は、機械設備を摩耗《まもう》破損させた。工業生産全体が低迷し、農業は連年の大凶作に陥った。農村部を中心に二〇〇〇万人以上が飢餓や栄養失調によって死亡した。惨状であった。

一九六〇年の半ば以降、ようやく大躍進政策の修正が始まる。穀物を外国から輸入する緊急の飢饉対策がとられ、農民が副業で野菜や副食品をつくって売る、といった市場経済の部分的復活も認められ、食糧難が緩和された。農業税の引き下げ、国による農産物購入価格の引き上げ、化学肥料製造設備の輸入など、一連

紅衛兵の登場から暴走まで

文革の直接の発端は一九六五年一一月に発表された文芸評論「新編歴史劇『海瑞免官』を評す」である。『海瑞免官』は、皇帝を諫めた海瑞という官吏が逆に皇帝の怒りをかって罷免された明代の故事を題材に、愚かな皇帝として毛沢東を暗に批判するメッセージが読みとれる作品であった。そこで毛の側近グループは、そうした批判に反撃し、文化革命を呼号し急進的な社会主義路線を推進するキャンペーンの口火を切ったのである。

一九六六年五月一六日、一連のキャンペーンを踏まえ、文革推進を呼びかける通知が出された（世史⑪73）。時期を同じくして北京大学に文革を称揚する壁新聞（大字報）が張りめぐらされ、清華大学付属高校に紅衛兵を名乗る文革支持の若者が出現した。同様の動きが全国に広がり、赤い腕章を巻き『毛沢東語録』を手にした紅衛兵らの文革支持派が、「反乱には道理がある」（「造反有理」）と唱え、それまで指導部を担ってきた党内多数派を「資本主義の道を歩む実権派」と非難し、その打倒を叫んだ。そして八月に開かれた共産党の中央委員会は文革により社会主義革命は新段階を迎えたとする決議を採択した。出席した中央委員は全体の半数にも満たない。延べ一四〇〇万人以上も北京に上京した紅衛兵が何度も天安門広場で大集会を開き、各地で党内多数派が文革派によって攻撃される中、少数派であった文革派が共産党の指導権を掌握した。

しかし文革は、最初に火をつけた毛らの思惑をはるかに越え、暴走を続ける（久保二〇一一）。六六年一二月末、上海で文革派の労働者団体と既存の共産党上海市委員会を支持する労働者団体の間で衝突が発生し、後者の二四〇人以上が拘束された。相前後して黒龍江、山西、貴州、山東などでも既存の党組織と行政機構が解体された。

新疆や四川、武漢では民衆間の武力衝突を鎮圧するため軍が出動する。紅衛兵内部の派閥抗争も激化した。混乱の背景には、従来の社会秩序が破壊される中、人々の不満が噴出した面があった。日本の団塊世代に相当する中国の若者たちは、経済が低迷を続ける中、学校を卒業しても定職に就けず屈折した思いを抱えていた。そうした失業者ないしは半失業者こそ、紅衛兵の主たる供給源だった。「請負工よ、臨時工よ、革命を起こそう」と呼びかけた西安の建設労働者のように、不安定で劣悪な労働条件の下に置かれてきた労働者も文革に期待を寄せた。社会主義教育運動の下で育ってきた彼らにとって、文革は新しい可能性を示すものであった。

文革の呼びかけに忠実だった紅衛兵は、中国の伝統的な思想・文化・風俗・習慣を全て打ち壊すことを革命だと考え、各地で書籍や絵画が燃やされ、工芸品や美術品が打ち砕かれた。知識人を集会に引きずり出し、「学界の反動的権威」、「反革命分子」などと罵倒する行為も蔓延した。教育の場では、革命的政治思想の持ち主とされる若者を優先的に進学させ、政治教育ばかりが重視され、既存の学位認定制度が撤廃された。こうした混乱の中、全般的な教育水準が低下した。文革による混乱は中国経済にも大きな打撃を与えた。経済運営が麻痺するとともに、労働者の労働意欲が低下し、工場の生産性が低下した。一九六七年の農業・鉱工業総生産額は、前年より一〇％近く低下し、六八年にはさらに四・二％減少した。同じ時期、鉄道の貨物輸送量も激減しており、六七年は対前年比二一・六％の減少、六八年は対前年比二・三％の減少となっている。

の農業支援策が打ち出された。工業の投資対象の削減と調整が図られ、過剰な生産施設が閉鎖される一方、生活用品を生産する軽工業分野の生産が拡充された。化学繊維工場も西側諸国の技術援助によって建設され、日本との間では倉敷レイヨン（現クラレ）のビニロン・プラント輸入契約が六二年に結ばれている。

ただし大躍進政策失敗の責任は曖昧にされた。失敗は自然災害のためとされ、責任を問われるべき毛沢東も、国家主席を退いただけで、共産党主席の座は保持した。またベトナム戦争が激化する中、中ソ対立も影響して国防力の強化は引き続き重視された。内陸地域に軍需工業施設を建設する「三線建設」[10]が提唱され、軽工業の位置づけは再び低下した。

一九六六年春からは、「文化大革命」（文革）と呼ばれる混乱が広がった（コラム「紅衛兵の登場から暴走まで」一八二頁参照）。文化革命という言葉自体は、政治経済と同様に文化も変革されるとの考えに由来する。しかし中国の文革の場合、急進的な社会主義建設路線を信奉する文革派が民衆を動員し党内で主導権を握ろうとしたことから、共産党指導部内の抗争に民衆が巻き込まれ、社会秩序が崩壊して様々な不満や要求が顕在化するとともに、内政、外交、社会、経済に大混乱が生じた事態であった。ついに六七年から軍を投入した秩序回復が図られ、国防相林彪《りんぴょう》が毛沢東の後継者に指名された。軍による秩序回復策が効を奏し、経済活動は次第に常態を回復していく。しかし文革派にとって、軍の風下に立つのが望ましい状況だったわけではなく、七一年、林彪は失脚した。

この時期、隣国ベトナムへのアメリカの侵略は続き、中ソ国境ではソ連との武力衝突も起きるなど対外関係は緊張しており、核兵器やミサイルの開発は別扱いで推進されていた。一九六七年六月、中国は水素爆弾の実験に成功し、七〇年四月には人工衛星の打ち上げにも成功した。とくに後者は、大陸間弾道弾による核攻撃能力を中国が備えたことを意味し、国際政治の中で米ソと対抗する重要なよりどころになった。

プラハの春と北京の春

一九六〇年代末から七〇年代末にかけ、ソ連型社会主義を見直し新しい社会主義を模索する動きが各地で進んだ（ウェスタッド二〇二〇）。西欧でその先頭に立ったイタリア共産党は、六六年の新綱領で、戦後の経済成長を踏まえ、社会党や進歩的カトリック勢力と連携し、選挙を通じ漸進的な改革によって社会主義を実現する道を提起している。東欧では、六八年四月に発表されたチェコスロバキア共産党の行動綱領が、「新しい、深く民主的で、チェコスロバキアの条件にあった社会主義社会の建設」をめざすと宣言し、「人間の顔をした社会主義」という言葉が広まった（世史⑪132）。出版物に対する検閲制度が撤廃され、作家・知識人・芸術家や社会団体の活動が活発化し、ソ連型社会主義の一党独裁体制を改める可能性が出てきた（プラハの春）。だがこれは、他の東欧諸国やソ連が進めていた改革の限界を越えるものであった。六八年八月、ソ連などワルシャワ条約機構軍はチェコスロバキアに侵攻し、ドゥプチェク第一書記ら指導者をモスクワに呼びつけ、改革の停止を約束させる。ソ連は、社会主義共同体全体の利益の前には各国の主権は制限されるという

プラハの春　ソ連軍の侵攻に抗議し、
国旗を掲げるチェコスロイヴァキアの人々 (1968 年)

制限主権論を持ち出し、軍事干渉を正当化した。

一方、「北京の春」は、文化大革命が終息し、中国が改革開放に舵を切る過程で出現した。文革を終息に向かわせた一つの大きな要因は、中国をめぐる国際環境の変化であった。ベトナム戦争の泥沼化に苦しむアメリカと対ソ警戒感をつのらせる中国が急接近し、一九七二年二月、訪中したニクソン米大統領と毛沢東、周恩来らが会談した。七一年一〇月には国連総会で中華人民共和国の国連代表権が承認され、七二年九月、訪中した日本の田中角栄首相との会談後に日中共同声明が発表され、日中国交正常化も実現した。政権内には西側諸国から資金的技術的な援助を得て経済再建を図る動きが生まれ、七二―七七年に鉄鋼圧延、合繊などのプラント三五億ドル分の購入契約が結ばれた。一方、こうした流れに反発する文革派との抗争も深まった。七六年一月八日、文革派の押さえ役と見られた周恩来が死去すると、先祖を祭る清明節を機に、周恩来を追悼する形で文革批判派の動きが広がる。清明節明けの四月五日には、文革派の北京市当局との間で衝突が発生し、多くの民衆が逮捕された（〔第一次〕天安門事件）。

しかし同じ一九七六年の九月九日に毛沢東も死去した。最後の拠りどころを失った文革派は、一〇月六日、政権指導部の親衛隊に逮捕され、その支配は終焉を迎えた。党内では政策の抜本的転換をめざす動きが強まり、七八年秋には民衆の間でも北京の繁華街西単《シータン》の街頭に壁新聞を張り、小冊子を配って政策転換を求める運動が広がった。同年一二月に開かれた党の第一一期第三回中央委員全体会が潮目の変わる場となる。新たに実権を握ったのは文革終息期の経済再建に携わってきた鄧小平であり、鄧政権が進めた「改革開放」政策によって、中国経済は、たんに毛沢東時代の社会主義の修正にとどまらず、ソ連型社会主義そのものからの離脱に向け、大きな変化を開始した（久保ほか二〇一八）。ただし鄧政権は、知識人らの議論が民主主義と法制の整備を求め共産党の独裁を問題にするようになると、七九年三月、ミニコミ誌発行者の魏京生らを逮捕し、政治改革の流れは押しとどめている。北京の春は終わった。

天安門前を埋めた民主化を求める集会（1989 年 5 月）

天安門事件、東欧革命とソ連解体

一九七〇年代から八〇年代にかけ、従来のソ連型社会主義を大幅に改める動きが広がり、やがて政権の基礎を揺るがす事態になった。中国では天安門事件が起き、東欧では民衆革命が展開し、ソ連は消滅した。

文革終結後の、「改革開放」と呼ばれる中国の変化は農村から始まった。耕作意欲を促すため、農家の副業や自由市場が認められ、生産請負制、戸別経営制などが拡大された。一九八四年までに全国の農家の九六%が小農経営に戻り、大半の集団農場が解体された。新制度の下で農業生産が伸長し、農家所得も増加した。農家から資金を集めて郷鎮企業という中小規模の工場を設立し、農業生産性の上昇で増加した過剰労働力をそこに振り向ける動きも進んだ。人口を抑え生活水準を高める一人っ子政策も開始された。工業面では、八〇年に外国からの資本と技術の導入を容易にする経済特区が香港や台湾の近辺に創設され、輸出向け工業製品をつくる外資系工場が次々に設立された。[11] 同様な政策をとって成功した台湾、韓国、シンガポールなどの経済発展がモデルにされた。八四年以降、上海などの沿海都市にも同様な試みが拡大され、沿海都市部の経済成長が開始された。改革開放政策の進展は、統制計画経済の比重を年々低下させ、様々な分野で市場経済の導入を促した。その波に乗った都市近郊農民や民間企業経営者が豊かな消費生活を享受するようになった反面、経済成長にともなう物価上昇に賃金が追いつかず、生活も改善されなかった都市民衆の間には不満が鬱積していく（久保ほか二〇一八）。八六年末、学食の食事の改善など生活上の問題解決を求めることから始まった学生運動を、共産党政権は力で押さえ込む。嵐が近づきつつあった。

この時期、東欧でも新たな動きが生まれていた。東ドイツとの共存をめざす西ドイツの東方政策やベトナム戦争の終結などに促されて国際的なデタント（緊張緩和）が進み、一九七五年にはヨーロッパ安全保障協力会議が開催された。出席した東西ヨーロッパ三五ヵ国の代表は、主権の平等、国境の不可侵、内政不干渉、人権と自由の尊重などを取り決めたヘルシンキ最終議定書に調印した。この合意で東西を隔てる壁が低くなった頃から、東欧の人々は西欧社会を間近に眺めるようになり、冷戦期に西欧との生活水準の差が拡大したことに不満を抱くようになった。五〇年代以降、ソ連型社会主義の下で教育が普及し社会保障が充実したことは事実である。六〇年代初めまでの経済成長がそれを可能にしていた。しかし、六〇年代に東欧の経済成長率は落ち込み、東西のギャップが拡大した。ヨーロッパ全体が経済危機に直面した七〇年代にその差はわずかに縮まったとはいえ、八〇年代には再び引き離され、とくに日常生活の消費財の質と量に大きな格差が生じていた（松戸ほか編二〇一七）。八〇年八月、ポーランドで造船労働者がストライキを始め、賃上げ、政治犯釈放などを勝ち取った。新たな労働組合組織「連帯」に一〇〇〇万人近い労働者が参加し、独自の出版活動を展開するようになった。七七年一月、チェコスロヴァキアの文化人、知識人らも政治的抑圧を糾弾

東ドイツにあった国民監視機関シュタージ

東西冷戦の時代、ドイツは東のドイツ民主共和国と西のドイツ連邦共和国に分かれていた。そして東ドイツの政治社会統制の中枢にあったのがシュタージ（Stasi）である。正式には国家保安省（Ministerium für Staatssicherheit）といい、国外で情報活動を行う部局と国内で反体制派などを監視する部局を備え、社会各層にひそかに多くの協力者を配置し、国民が相互に監視しあうシステムを築いていた。

ベルリンの壁が崩壊し、一九八九年にシュタージが解散された後、残された文書が徐々に公開され、次第にその全貌が明らかになった。友人や職場の同僚が実はシュタージの職員もしくは協力者であったという事例も少なくない。シュタージは、対象者をただ監視していただけではなく、彼らの性格やアルコール依存などの弱点を把握し、それを利用して周囲との人間関係を破壊して孤立させ、対象者を反体制運動から離反させるような工作まで行っていた。

かつてシュタージがあったベルリン市内の建物が今はそのままシュタージ博物館になっている。アメリカのＦＢＩや日本の公安調査庁をはじめ、各国に類似した国家機関が存在するが、東ドイツのシュタージのように、かつて強力な監視体制を構築していた国家機関であって、それがすでに崩壊し、現在はその実態が公開されているという事例は、あまり多くない。

東西ドイツ統一から二一年が過ぎた二〇〇一年、旧東ドイツに暮らしていた人々は、アンケートに答え「私たちは平等だったし仕事もあった。だからよい時代だった。」という意見に半数が賛成した（メーラート、二〇一九年）。シュタージの存在に関する評価も分かれるかもしれない。

する「憲章七七」を西側の報道機関を通じ発表した（世史⑪185）。ヨーロッパの統合が進み、八一年にギリシャが、八六年にスペインとポルトガルがECに加盟したことも東欧の人々の意識を変えた。

ソ連経済も一九六〇年代半ば以降は低迷を続けた。経済計画は複雑化し、管理にも輸送にも問題が生じ、足りない原材料を各企業が奪い合う状況になり、生産性も製品の質も低下した。八五年三月にソ連共産党書記長に就いたゴルバチョフは、国際的な緊張を和らげ、経済の構造改革と社会主義の再生を実現しようとした。しかし改革はかえって経済の悪化を招き、ゴルバチョフ政権は、ペレストロイカと呼ばれた経済と政治の抜本的な改革に進まざるを得ない状況に追い込まれていく（世史⑫4）。八七年以降、計画経済を市場経済に転換する道が選択され、八九年からは共産党の権力を削減する政治改革が進んだ。結果的にペレストロイカは、ソ連型社会主義の起死回生の良薬ではなく、それに最後のとどめを刺す劇薬となった。ソ連の急速な変化に刺激され、ポーランド、ハンガリーなどの東欧諸国でも、生活の改善と政治の民主化を求める民衆運動が空前の広がりを見せるようになった。ソ連東欧圏におけるソ連型社会主義の崩壊は、目前に迫っていた。

こうした中、中国では、一九八九年四月一五日、改革に積極的だった胡耀邦前総書記が急死したことを機に、その死を追悼し改革の加速を求める動きが広がった。北京の学生は天安門広場までデモ行進し、報道の自由、汚職・腐敗の取締り、教育予算の増額などを要求した。改革派知識人も、要求を支持する声明を発表した。色を失った中国共産党指導部は、四月二六日付『人民日報』社説で、「社会主義制度の否定」をめざす計画的な「動乱」の制圧を宣言する。学生らは天安門広場でハンガーストライキまで行い、世論に支持を訴えた。二〇％を超える物価上昇や官僚の腐敗、格差の拡大に不満を抱いていた北京市民もそれに応え、五月半ばには参加者が百万人を超える大きなデモが行われた。折からソ連のゴルバチョフ書記長が訪中し世界の報道陣が集まったため、強硬手段をとりにくかったこと、共産党指導部の中に弾圧に慎重な意見があったこと、なども運動が空前の広がりを見せる条件になった。しかし、五月二〇日、軍を動員する戒厳令が北京に施行され、六月四日未明、学生・市民の運動は武力によって鎮圧された。犠牲者は少なくとも数百人以上といわれる〔世史⑫16〕（第二次）天安門事件）。それから三年近く中国は保守的な勢力の下に置かれ、改革も停滞するか、あるいは逆戻りさせられた。それに対し欧米諸国が中国の人権抑圧を厳しく非難し経済制裁を加えたため、中国は孤立し経済活動も低迷した。

一方、一九八九年秋、東ヨーロッパの情勢が激変する。最初に動いたのは再びポーランドであった。八九年二月からポーランドの共産党政権は「連帯」との交渉に応じ、六月に複数政党制の下で選挙を実施することを決めた。ハンガリー政府も言論の自由を認め、同年五月、隣国オーストリアへの旅行制限を撤廃した。六月四日に実施されたポーランドの選挙では、下院の一六一議席中一六〇議席を「連帯」が獲得し、共産党は一議席も獲得できなかった。八月二四日、「連帯」の活動家を首班とする非共産党内閣が指名された。ソ連のゴルバチョフ政権が静観する下、ポーランドは選挙によってソ連型社会主義の政権を終結させ、新たな道を歩み始めた。九月には東ドイツのライプツィヒで「我々は〔自由に外へ〕出ていきたい」を掲げたデモが始まり、やがてそれは「秘密警察を倒せ」「我々はどこにも行かない」という言葉に変わった。当局も取締を諦めるようになり、ライプツィヒのデモ参加者は一〇月には三〇万人を超え、動きは全国に波及した。一一月九日の夜、何千もの東ベルリン市民が、出国許可を申請する制度を無視し、西ベルリンに向かった。東西ベルリンを隔てていた壁は解体された。ベルリンの壁の崩壊以降、チェコスロヴァキア、ブルガリア、ルーマニアなどへも次々に動きが波及し、ソ連型社会主義を担ってきた政権は崩壊した。一九九〇年二月にはソ連で一党独裁が崩壊し、九一年末にはソ連邦までが解体した（世史⑫8）。経済の行詰りによって生活水準が向上せず、一党独裁下の人権抑圧に対する民衆の不満が基礎にあったとはいえ、東欧やソ連の民衆を勇気づけ、体制倒壊を引き起こした要因の一つは、中国における八九年春の民主化運動であった。

こうした動きが続く中、八九年一二月、地中海のマルタ島でソ連のゴルバチョフ書記長とアメリカのブッシュ大統領が会談し、東西冷戦の終結を宣言している。ただし東西対立の影が薄れ冷戦の終結は宣言されたとはいえ、冷戦を支えていたＮＡＴＯなどの軍事同盟は残った。第一章コラムで触れたユーゴ内戦（二一頁参照）にもＮＡＴＯの武力が行使され、国家間の対立が武力紛争に拡大する危険は、ロシアのウクライナ侵攻に至るまで、依然として存在している。

一方、ソ連東欧の体制崩壊は、中国に極めて大きな衝撃を与えた。天安門事件以降の保守的な風潮の下、改革開放の停滞は中国経済を沈滞させ、体制の存続も危ぶまれるようになる。指導部内で議論を重ねた末、一九九二年以降、中国は、改革開放政策を再開し、「社会主義市場経済」を活性化させ経済成長を続ける立場を鮮明にした。従来は資本主義と結びつけて語られてきた市場経済という言葉を、社会主義に結びつけたのである。上海浦東地区の大規模開発が開始され、対外取引を統制する専用通貨や穀物類の流通を統制してきた糧票《リャンピャオ》などが相継いで廃止された。株式市場が再開され、民間資金を企業活動に呼び込む政策が採られるとともに、国営企業の地位は低下していく。西側諸国も徐々に対中関係の改善に動き出し、経済制裁を解除し活発な投資活動を再開した。こうして一九九二年以降二〇一〇年代半ばまで、中国には年平均一〇％の成長が続く高度経済成長時代が到来した。ソ連型社会主義の政治的特質である共産党の一党独裁体制は維持しつつも、統制計画経済という経済的な特質からは遥か遠く離れた地点に、今、中国は立っている。

おわりに

一九世紀にヨーロッパで生まれた社会主義思想は、資本主義を批判し、よりよい社会をめざす思想として、世界へ広がった。そして二〇世紀初め、一九一七年のロシア革命で生まれたソ連型社会主義は、一党独裁と統制計画経済を基礎に短期間に経済的軍事的強国化を実現するシステムとして、第二次世界大戦後に東欧圏や中国、ベトナムなどにも拡大した。しかし、それを警戒するアメリカ、イギリスなどとの間には東西冷戦と呼ばれる状況が生まれる。

ソ連型社会主義における政治的民主主義の欠如は、各国で民衆の不満を招いた。さらに統制計画経済自体の限界に加え、冷戦下の軍事費負担も重くのしかかり、経済成長が難しくなり生活水準は低迷した。その結果、ソ連・東欧圏のソ連型社会主義は民衆の支持を失い、一九八〇年代末から九〇年代初めにかけ次々に崩壊した。引き続き社会主義の看板を掲げ続けた中国やベトナムでも、ソ連型社会主義のシステム自体は行き詰まり、「改革・開放」（中国）や「ドイモイ（刷新）」（ベトナム）の名の下、民間企業、外資系企業の発展が促され、統制計画経済が占める比重は小さなものになった。

一方、一九三〇年代から四〇年代にかけ、ソ連型社会主義とは異なる社会主義を模索したフランスの人民戦線政府やイギリスの労働党政権は、それぞれ労働者の権利を強め、社会福祉制度を充実させていく。戦後、東西冷戦の下にあって西側諸国の経済成長が続いたことも、そうした政策を可能にする条件になった。

日本においても、戦前の社会政策と戦時体制、そして敗戦後の戦後改革期を通じ、英仏などと同様な方向が模索された。五五年体制の下、順調な経済成長を背景にした労働運動の発展で毎年一〇%以上の賃上げが実現する一方、一九六〇年代には国民皆保険制度、国民皆年金制度が確立した。ただし日本では、社会主義思想を排斥するレッド・パージのような動きが影響を及ぼし、社会主義が達成した成果は「福祉国家(welfare state)」という言葉で表現されることが多い。

日本経済は、一九七〇年代から八〇年代にかけ、第四次中東戦争で生じた石油価格急騰による落ち込み(石油ショック)を経験しながらも、なお成長を維持した。しかし二・五%まで公定歩合を下げる金融緩和など円高対策の極端な不況対策が実施された結果、八〇年代末、株価や地価が急激に上昇しバブル経済といわれるほどの好景気が一時的に出現する。九一年にそのバブルがはじけると、再び円高の影響も加わり、日本経済は落ち込んだ。それ以後、リーマンショックを挟みながら二〇年以上に及ぶ長期不況が続くことになる。

こうした経済状況は、政治面では、一九九三年、非自民・非共産八党派の連立政権である細川内閣の発足となり、結党以来、三八年間単独政権を維持し続けた自民党は初めて下野した。九四年、自民党は社会党・新党さきがけと連立政権を組み、片山内閣以来、四六年ぶりの社会党委員長を首班とする村山富市内閣が成立している。細川、村山の両内閣とも一年程度の短期間しか続かなかったとはいえ、自民党単独の長期安定政権は困難な時代が始まっていた。一方、長期不況の中、正規労働者の減少と保守化が進み、ソ連東欧圏のソ連型社会主義が崩壊したことも影響し、社会党を中心にした従来の社会主義支持勢力も凋落した。自民・社会の両党が主導してきた五五年体制は崩壊した。

このような経済的政治的変動の下、一九八〇年代以降、戦後拡大されてきた社会福祉制度を大幅に縮小する方向が明確になった。そして社会福祉への支出を抑えながら高齢化社会に対応していくため、二〇〇〇年から介護保険制度が始まっている。

二〇世紀の末、一時は全く色あせたものに見えた社会主義という言葉は、二〇〇八年、投資会社の破綻に端を発するリーマン・ショックという世界的な景気後退が起きた頃から、再び人々の注目を集めるようになった。資本主義が再び格差の拡大をもたらしつつあることを警告したフランスの経済学者トマ・ピケティ『二一世紀の資本』（二〇一三年）は、各国でベストセラーになった。二〇一六年と二〇二〇年のアメリカ大統領選挙では、民主社会主義者を自称するバーニー・サンダース上院議員が高得票を集めた。二一世紀にも、資本主義を問い直し社会主義を模索する動きは、さまざまな形で続けられていくことになるであろう。

〈注記〉

1、オーエン自身は、一八二〇年代半ば以降、アメリカに渡りニュー・ハーモニー村という理想のコミューンを築こうとして挫折しイギリスへ戻るなど、試行錯誤を重ねた。もっともニュー・ハーモニー村には幼稚園、職業学校、無償公教育制度などが設立され、アメリカ社会主義の発祥の地となった。

2、ただし、地主の土地や中小の工場を没収するなど急進的な動きが広がる中、国民党と共産党の間の対立が強まり、一九二七年に両者の協力関係は崩れた（第一章三参照）。したがって一九二八年に成立した中国国民党政権とソ連との間は、日本の満洲侵略が始まるまで、しばらく冷えついていた。

3、戦前に存在した共産党の国際組織コミンテルンは、連合国間の協調を強めるため、との理由で、一九四三年に解散されていた。

4、小地主の土地まで没収するような行き過ぎた動きは、その後、是正された。

5、北朝鮮自身の否定にもかかわらず、戦場で捕獲された文書、捕虜の証言、ロシアや中国で参照できるようになった当時の文書などによって、北朝鮮が武力統一をめざし行動を開始した事実は確認されている。武力で政権を倒した前年の中国革命の経緯も参照されたであろう。

6、フルシチョフの秘密報告は、アメリカの情報機関が入手し、メディアを通じて世界に知れ渡った。

7、戦後、オーストリアを統治した英仏ソの占領軍が撤退し、同国を中立国にしたオーストリア国家条約。

8、二八年後の一九八九年、ベルリンの壁を毀すことが、東西冷戦の終結を象徴する行為になった。

9、一九四七年八月に広島で開かれた第一回平和祭式典は戦没者追悼と戦後復興の決意だけを表明するもので、「ノーモア・ヒロシマズ」を掲げた翌四八年の第二回式典も、核兵器禁止を訴えることはできなかった。そして五〇年の第四回式典は、一部の「反占領軍的な集会」の開催禁止を発端に、式典全体も中止された。

10、「三線」とは、戦時の第一線を沿海部に、第二線を平野部に想定し、内陸の山間部を呼んだ表現である。

11、香港に隣接する深圳、マカオに隣接する珠海、台湾対岸の汕頭、アモイの四地区に創設された。

あとがき

本書は、わたしたちの時代の戦争と平和、そして社会主義について、歴史総合という角度から考えた。第一次世界大戦と第二次世界大戦は、軍事力によって権益の維持拡大をめざす国民国家間の対立と連携が強まり、それが二大勢力間の世界的な対立になって引き起こされた。日本もそれに主体的に関わっている。大戦の直接の発端になったのは、第一次大戦の場合は南スラブの民族問題であったし、第二次大戦の場合はヨーロッパの領土問題であった。そうした地域紛争を発火点として、軍事同盟の連鎖から世界的な規模の大戦争が起きた。平和を求める運動は存在したし、第一次大戦後は国際連盟という国家間の対立を調整する組織まで発足したが、結局、第二次大戦の勃発を阻めていない。その背景には、武力による権益拡大を当然視する意識があり、民衆の間に広がった戦争フィーバーがあった。戦争を企てる勢力は、時として満洲事変のような謀略を仕組み、それを煽った。日本は、第一次大戦では中国の山東を占領し、第二次大戦につながる満洲事変と日中戦争の際は、侵略戦争を開始する当事者になる。その結果、中国をはじめアジア諸国の多くの人々を殺し、傷つけ、自らもまた多くの犠牲者を出した。第一次大戦の終了後から、戦争を起こした責任と戦後補償が厳しく追及されるようになり、日本もまたある程度の補償は行ってきた。とはいえ、日本の場合、未解決の問題も少なくない。

二度の世界大戦を経た後、世界大戦が三度起きるのは避けることができた。世界大戦が繰り返された教訓を踏まえ、平和を維持するための国際的なシステムが国際連合を軸に形成され、二〇世紀半ば以降、ある程度は機能してきたこと、そして、核兵器を禁止し、平和を求める運動が、日本を含む世界各地でかつてなく大きなものになってきたことが重要な意味を持った。

しかし第二次世界大戦が終結した直後から東西冷戦と呼ばれる対立が生じ、それは一九八〇年代まで続いた。冷戦の下、世界は核戦争の危機に何度も脅かされ、朝鮮戦争やベトナム戦争のように多くの犠牲者を出す地域紛争も起きた。冷戦終結後も、九・一一事件とその後の反テロ戦争、そしてロシアのウクライナ侵攻に至るまで、平和を脅かす深刻な事態が継起している。わたしたちが戦争と平和をめぐる歴史から学ぶべきことは、まだ尽きることがないといわざるを得ない。

一方、一九世紀以来、ひたすら利潤獲得を追求し格差の拡大を顧みない資本主義のシステムが批判され、それに代わるさまざまな社会主義が構想されてきた。パンと平和を求めたロシア革命の後、一九二〇年代にはソ連型社会主義という国家体制が生まれ、国営工業と集団農業を軸にした統制計画経済によって、急速な経済発展を実現しようとした。それは、第二次世界大戦後、東欧や中国、ベトナムなどにも広がり、ある程度の成果はあげたとはいえ、政治的民主主義の欠如と持続的な経済発展の行き詰まりから民心を失い、結局、二〇世紀末までにソ連・東欧圏の場合のように姿を消すか、あるいは中国やベトナムのように大きな変貌を余儀なくされた。

それに対し、欧米諸国や日本では、社会主義思想に含まれていた内容が、多かれ少なかれ社会保険や社会福祉制度などの社会政策によって実現され、資本主義のもたらす諸問題をある程度緩和してきた。但し、そうした社会政策が推進されたのは、欧米、日本、中進国などの範囲にとどまり、世界の全ての途上国の人々にまでそれが行き渡っているわけではない。植民地支配に終止符を打ち、民族の独立を実現することはほぼ達成されたとはいえ、独立後の途上国の経済発展を図り、社会福祉を充実させることは、依然として重要な課題になっている。東西対立の下にあって、一九七〇年代以降、四匹の小龍と呼ばれる急成長を遂げた韓国、台湾、香港、シンガポール、さらにはメキシコ、マレーシア、タイなどを含むＮＩＥＳ（新興工業経済地域）の勃興が注目を集めたとはいえ、それに加われなかった国々は多い。また、二〇〇八年に起きたリーマン・ショックと呼ばれる投資銀行の破産とその後の世界的景気後退は、資本主義というシステムにつきまとう根本的な問題が完全に克服されたわけではないことを、改めて明らかにした。新たな社会経済システムの模索は、今も続いている。

冷戦終結後の事態は、世界にそうした多くの問題が残っているばかりではなく、従来、それほど関心を集めなかった分野にも極めて深刻な問題があることを明らかにしてきている。保健衛生状態の改善が進んだとはいえ、新型コロナウイルスの世界的な感染拡大は、それが決して万全なものではなく、むしろ極めて危うい状態の下に置かれていることを示した。地球温暖化をもたらす温室効果ガスの削減が議論されてきたにもかかわらず、実効性のある対策は実現せず、環境破壊と気候変動への対応は、いよいよ喫緊の課題になった。戦争と平和、社会主義という本書でとりあげた問題群に加え、途上国の発展、保健衛生の向上、地球環境の保護などその他の様々な問題についても、私たちは、日本史だけ、外国史だけの視野にとどまらず、歴史総合の広い視野に立って考え、行動していくことが求められる。

〈参照文献〉

赤沢史郎「満州事変の反響について」『歴史評論』第三七七号、一九八一年
秋田　茂・細川道久『駒形丸事件――インド太平洋世界とイギリス帝国』ちくま新書、二〇二一年
麻田雅文『シベリア出兵』中公新書、二〇一六年
浅田進史「膠州湾租借地におけるドイツ植民地政策と近代化（一八九七―一九一四）」本庄比佐子編『日本の青島占領と山東の社会経済　一九一四―二二年』東洋文庫、二〇〇六年
雨宮昭一『占領と改革』（シリーズ日本近現代史　七）岩波新書、二〇〇八年
新井政美『トルコ近現代史――イスラム国家から国民国家へ』みすず書房、二〇〇一年
荒井信一『ゲルニカ物語』岩波新書、一九九一年
荒井信一『戦争責任論』岩波書店、一九九五年
池田嘉郎他編『ロシア革命とソ連の世紀　一　世界戦争から革命へ』岩波書店、二〇一七年
石田勇治『二〇世紀ドイツ史』白水社、二〇二〇年（初版二〇〇五年）
石田勇治・武内進一編『ジェノサイドと現代世界』勉誠出版、二〇一一年
犬丸義一『日本人民戦線運動史』青木書店、一九七八年
ヴァイツゼッカー、リヒャルト『ヴァイツゼッカー大統領演説集』（永井清彦編訳）岩波書店、一九九五年
上垣　彰『ルーマニア経済体制の研究　一九四四―一九八九』東京大学出版会、一九九五年
ウェスタッド、O・A『冷戦　ワールド・ヒストリー』（益田実監訳）岩波書店、二〇二〇年（原著二〇一七年）
江口圭一『昭和の歴史』第四巻　十五年戦争の開幕小学館、一九八二年

エンゲルハート、トム他『戦争と正義――エノラゲイ展論争から』（島田三蔵訳）朝日選書、一九九八年
大沼保昭『東京裁判から戦後責任の思想へ』第四版、東信堂、一九九七年
岡野鑑記『日本賠償論』東洋経済新報社、一九五八年
小野塚知二編『第一次世界大戦開戦原因の再検討――国際分業と民衆心理』岩波書店、二〇一四年
カー、エドワード・H『コミンテルンの黄昏――一九三〇―一九三五』（内田健二訳）岩波書店、一九八六年（原著一九八二年）
カー、エドワード・H『危機の二十年――一九一九―一九三九』（井上茂訳）岩波文庫、一九九六年（原著一九三九年）
笠原十九司『南京事件』岩波新書、一九九七年
笠原十九司『「百人斬り競争」と南京事件――史実の解明から歴史対話へ』大月書店、二〇〇八年
糟谷憲一『朝鮮半島を日本が領土とした時代』新日本出版社、二〇二〇年
風早八十二『日本社会政策史 再版』日本評論社、一九四九年
木戸蓊他編『東欧現代史』有斐閣選書、一九八七年
木畑洋一『第二次世界大戦――現代世界への転換点』吉川弘文館、二〇〇一年
木畑洋一・秋田茂編『近代イギリスの歴史』ミネルヴァ書房、二〇一一年
紀平英作編『アメリカ史』山川出版社、一九九九年
ギャディス、ジョン・ルイス『歴史としての冷戦――力と平和の追求』（赤木完爾ほか訳）慶應義塾大学出版会、二〇〇四年（原著一九九七年）
陸井三郎『ハリウッドとマッカーシズム』社会思想社、一九九六年
久保　亨「近代山東経済とドイツ及び日本」（前掲、本庄編二〇〇六）

久保　亨『社会主義への挑戦』（シリーズ中国近現代史　四）岩波新書、二〇一一年
久保　亨他『現代中国の歴史』第二版、東京大学出版会、二〇一八年
久保　亨『日本で生まれた中国国歌――「義勇軍行進曲」の時代』岩波書店、二〇一九年
近藤孝弘『国際歴史教科書対話――ヨーロッパにおける「過去」の再編』中公新書、一九九八年
芝　健介『ヒトラー――虚像の独裁者』岩波新書、二〇二一年
柴宜　弘『ユーゴスラヴィア現代史』新版、岩波新書、二〇二一年
ジャクスン、ジュリアン『フランス人民戦線史――民主主義の擁護一九三四―一九三八年』（向井喜典ほか訳）昭和堂、一九九二年（原著一九八八年）
朱　建栄『毛沢東の朝鮮戦争』岩波書店、一九九一年
スピアーズ、エドワード・M・『化学・生物兵器の歴史』（上原ゆうこ訳）東洋書林、二〇一二年（原著二〇一〇年）
谷口明丈他編『現代アメリカ経済史――「問題大国」の出現』有斐閣、二〇一七年
土田哲夫他編『戦間期の東アジア国際政治』中央大学出版部、二〇〇七年
中薗英助『何日君再来物語』河出文庫、一九九三年
中村隆英『昭和史Ⅱ一九四五―一九八九』東洋経済新報社、一九九三年
名古忠行『フェビアン協会の研究――イギリスの政治文化と社会主義』法律文化社、一九八七年
西川正雄他『ファシズムとコミンテルン』東京大学出版会、一九七八年
西川正雄『第一次世界大戦と社会主義者たち』岩波書店、一九八九年
日本弁護士連合会『日本の戦後補償』明石書店、一九九四年
野澤　豊「日中戦争のなかの難民問題」『歴史評論』第二六九号、一九七二年。

波多野澄雄・中村元哉編『日中戦争はなぜ起きたのか――近代化をめぐる共鳴と衝突』中央公論新社、二〇一八年
秦　郁彦『盧溝橋事件の研究』東京大学出版会、一九九六年
秦　郁彦『南京事件』中公新書、一九八六年
林　忠行「チェコスロヴァキア亡命政権の形成と政策――E・ベネシュの認識と行動を中心に」石井修編著『一九四〇年代ヨーロッパの政治と冷戦』ミネルヴァ書房、一九九二年
林　博史『BC級戦犯』岩波新書、二〇〇五年
速水　融『日本を襲ったスペイン・インフルエンザ』藤原書店、二〇〇六年
潘　洵『重慶大爆撃の研究』（柳英武訳）岩波書店、二〇一六年
ピケティ、トマ『二一世紀の資本』（山形浩生他訳）みすず書房、二〇一四年（原著二〇一三年）
平瀬徹也『フランス人民戦線』近藤出版社、一九七四年
ファレル、ニコラス『ムッソリーニ』（柴野均訳）白水社、二〇一一年（原著二〇〇三年）
古田元夫『ホー・チ・ミン――民族解放とドイモイ』岩波書店、一九九六年
ボルジギン・フスレ『モンゴル・ロシア・中国の新史料から読み解くハルハ河・ノモンハン戦争』三元社、二〇二〇年
前田哲男『戦略爆撃の思想――ゲルニカ・重慶・広島への軌跡』朝日新聞社、一九八八年
松井康治他編『ロシア革命とソ連の世紀二　スターリニズムという文明』岩波書店、二〇一七年
松戸清裕他編『ロシア革命とソ連の世紀三　冷戦と平和共存』岩波書店、二〇一七年
南塚信吾「ハプスブルグ帝国と帝国主義」同ほか編『帝国と帝国主義』有志舎、二〇一二年

南塚信吾『「連動」する世界史――一九世紀世界の中の日本』岩波書店、二〇一八年
三宅明正『レッド・パージとは何か――日本占領の影』大月書店、一九九四年
メーラート、ウルリヒ『東ドイツ史 一九四五―一九九〇』（伊豆田俊輔 訳）白水社、二〇一九年（原著初版二〇一〇年）
安井三吉『盧溝橋事件』研文出版、一九九三年
山崎正勝・日野川静枝編著『原爆はこうして開発された』増補版、青木書店、一九九七年
油井大三郎『平和を我らに――越境するベトナム反戦の声』岩波書店、二〇一九年
吉岡　潤「ソ連による東欧「解放」と「人民民主主義」」（松井ほか編二〇一七所収）
吉田　裕『アジア太平洋戦争』（シリーズ日本近現代史六）岩波書店、二〇〇七年
吉田　裕『日本人の戦争観』岩波書店、一九九五年
レマルク、エーリッヒ・M『西部戦線異状なし』（秦豊吉訳）新潮文庫、一九五五年
和田春樹「ロシア革命」『岩波講座 世界歴史』第二四巻、岩波書店、一九七〇年
和田春樹『朝鮮戦争全史』岩波書店、二〇〇二年
渡辺和行『フランス人民戦線――反ファシズム・反恐慌・文化革命』人文書院、二〇一三年
〔全般的に参照した文献〕
（岩波講座世界歴史編集委員会）『岩波講座 世界歴史』（二五）―（二九）岩波書店、一九七〇―七一年
歴史学研究会編『世界史史料』（六）、（一〇）、（一一）岩波書店、二〇〇六―二〇一二年
山室信一ほか『現代の起点 第一次世界大戦』全四冊、岩波書店、二〇一四年

久保 亨（くぼ・とおる）

信州大学特任教授、東洋文庫研究員。専門は中国近現代史。一橋大学大学院博士課程中退。主な著作に『戦間期中国 < 自立への模索 >──関税通貨政策と経済発展』（東京大学出版会、1999 年）、『中国近現代史④ 社会主義への挑戦 1945-1971』（岩波新書、2011 年）、『20 世紀中国経済史論』（汲古書院、2020 年）。

戦争と社会主義を考える──世界大戦の世紀が残したもの

〈講座：わたしたちの歴史総合《世界史×日本史》 5〉

2023 年 2 月 25 日　第 1 刷発行

著　者　ⓒ久保亨
発行者　竹村正治
発行所　株式会社　かもがわ出版
〒 602-8119　京都市上京区堀川通出水西入
TEL 075-432-2868 FAX 075-432-2869
振替　01010-5-12436
ホームページ　http://www.kamogawa.co.jp
印刷所　シナノ書籍印刷株式会社

ISBN978-4-7803-1265-2　C0320

総合索引等は「わたしたちの歴史総合」シリーズ特設ページで
http://www.kamogawa.co.jp/campaign/tokusetu_rekishi.html